QUI SUIS-JE ?

Dans la même collection :

FREDERIC DARD par Louis Bourgeois
JEAN GIONO par Jean Carrière
MARGUERITE YOURCENAR par Georges Jacquemin
ALAIN ROBBE-GRILLET par Jean-Jacques Brochier
LE CORBUSIER par Gérard Monnier
JEAN PAULHAN par André Dhôtel
VLADIMIR JANKELEVITCH par Guy Suarès

A paraître :

RAYMOND ARON par Nicolas Baverès
MICHEL FOUCAULT par Jean-Marie Auzias
GUSTAVE ROUD par Gilbert Salem
HENRY MILLER par Frédéric Jean-Temple
SAINT-JOHN PERSE par Guy Féquant
JULIEN GRACQ par Jean Carrière

FRANCIS
PONGE
Qui suis-je ?
La Manufacture

Guy Lavorel

La Manufacture

Sommaire

A Odile.

« Le soleil dissipe la nue, récrée et puis pénètre enfin le cavalier. Encor n'usa-t-il point de toute sa puissance... » (La Fontaine, *Phoebus et Borée).*

Le Grand Recueil Pièces,
p. 158
Pièces, p. 140

« Typographes et correcteurs, attention, pas de zèle intempestif, je vous prie ; je ne dis pas recrée mais récrée. »

Note de Francis Ponge
dans le manuscrit du *Soleil*

Par commodité, nous avons employé dans cet essai les abréviations suivantes :

PPC : Le Parti pris des choses.
TP : Tome premier.
RE : La Rage de l'expression.
GRL : Le Grand Recueil I Lyres. L : Lyres.
GRM : Le Grand Recueil II Méthodes. M : Méthodes.
GRP : Le Grand Recueil III Pièces. P : Pièces.
PM : Pour un Malherbe.
NR : Nouveau Recueil.
S : Le Savon.
EPS : Entretiens de Francis Ponge avec Philippe Sollers.
FP : La Fabrique du pré.
AC : L'Atelier contemporain.
CFPP : Comment une figue de paroles et pourquoi.
EB : L'Ecrit Beaubourg.
PE : Pratiques d'écriture.

Pour certaines œuvres, nous donnons deux références : celle de l'édition Gallimard (NRF) et celle de collections plus disponibles, qui ont repris le texte intégral. C'est le cas pour :

Le Parti pris des choses. Poésie/Gallimard.
Pièces. Idem.
La Rage de l'expression. Idem.
Lyres. Idem.
Méthodes. Idées/Gallimard.

Introduction

Qui est Francis Ponge ? Sans doute un auteur à part qui séduit certains lecteurs autant qu'il fait peur à d'autres, notamment les critiques, qui redoutent une explication inutile ou mal venue. En effet, si certains apprécient l'extraordinaire simplicité de ses sujets et de ses textes, qui le fait aimer spontanément des enfants, d'autres découvrent avec émerveillement sa profonde méditation. Ce sont d'ailleurs des philosophes, et non des moindres, qui voient en lui un nouveau contemplateur des mots et des choses : Sartre d'abord, mais aussi H. Maldiney qui, dans son étude : *Le Legs des choses dans l'œuvre de Francis Ponge,* va jusqu'à rapprocher la pensée de Ponge de celle d'un maître comme Hegel. Joindre une densité réflexive à une clarté langagière, voilà de quoi enchanter les uns et dérouter les autres qui ne savent plus très bien à quoi se fier.

De fait, la difficulté d'appréciation est encore renforcée par les pièges d'une analyse traditionnelle, juste mais insuffisante, car Ponge est toujours à voir au moins au second degré, ou au contraire par les déconvenues d'une observation trop attachée à des réactions personnelles (Ponge devient successivement philosophe, phénoménologue, érotique, freudien, épicurien... poète) et trop particularisantes. Même s'il y a du vrai dans ces étiquettes, chacun risque à tout moment une extrême paraphrase, et l'hermétisme d'un commentaire psychanalytico-linguistique n'y remédie pas[1].

D'ailleurs tout élément de l'œuvre de Ponge a été évoqué à un moment ou l'autre par l'auteur lui-même, et ce dans un langage limpide et mûrement réfléchi ; car sans doute Francis Ponge est d'abord un critique : critique du monde et du langage, critique esthétique, mais surtout critique continuel de lui-même. En sorte que s'en prenant aux faiseurs d'anthologies, des « ratés de l'écriture »[2], il en vient à conseiller la méthode des « Ecrivains de toujours » par eux-mêmes, qu'il avait expérimentée personnellement dans son *Malherbe :*

> « Il n'est certainement pas inutile d'opposer aux portraits (successifs) tracés d'un écrivain par les historiens et les critiques qui se sont occupés de lui, celui qu'il a pu tracer de lui-même quand il l'a fait expressément — ce qui est rare — ou celui dont, comme c'est au contraire assez souvent le cas, il a fourni des éléments exprès, mais épars, qu'il s'agit alors de dégager et de rassembler (de composer). » (*PM*, p. 166.)

Car, derrière ces multiples portraits de Braque, de Picasso, de tout artiste qui contribue à *L'Atelier contemporain,* de tout écrivain comme Malherbe, c'est une part de lui-même que l'auteur transmet, les traits de l'humaine condition que l'on relève, étant signes de son propre goût, partant de son moi :

> « Il peut avoir parlé indirectement de lui-même en attribuant ses propres traits à certains de ses personnages. » (*PM*, p. 85.)

On pourrait, à la suite de Jean Tortel, dire qu'il est « impossible de parler de Ponge autrement qu'en parlant Ponge »[3]. C'est se condamner à redire sans bien analyser, à recréer. Nous voudrions plutôt montrer le fonctionnement de cette œuvre, faire jouer ses mécanismes, bref *récréer* Ponge pour qu'on puisse s'en récréer ; et d'abord nous en faire une idée en nous efforçant de le prendre, lui et ses textes, sous l'"objectif", comme il le fait pour l'homme :

> « L'homme est un sujet qu'il n'est pas facile de disposer, de faire sauter dans sa main. Il n'est pas facile de tourner autour de lui, de prendre le recul nécessaire. Le difficile est dans ce recul à prendre, et dans l'accomodation du regard, la mise au point.
> Pas facile à prendre sous l'objectif. »[4]

Mais à côté de cette originalité qui voisine avec la difficulté, on peut s'interroger sur l'originalité de Ponge par rapport à ses prédécesseurs et surtout ses contemporains. On ne peut nier qu'il s'inscrive dans une évolution propre à son époque, notamment pour les problèmes du monde et du langage. En effet le XXe, siècle est marqué philosophiquement par deux courants opposés : la psychanalyse, consacrée à l'inconscient et au moi, et la phénoménologie, plus intéressée par un regard objectif sur les choses et le monde. Littérairement, on considère généralement que la première tendance est représentée par les surréalistes, la deuxième par les "nouveaux" romanciers comme Robbe-Grillet. Mais bien sûr ces catégories ont un côté arbitraire, et c'est plus en fonction de chaque écrivain que l'on peut apprécier la part laissée au moi et au monde. Aussi, à côté de l'influence incontestable du surréalisme et plus encore des surréalistes, nous paraît-il capital de renvoyer à deux écrivains qui se sont voués, de façon différente, à la connaissance du monde, nous voulons dire Proust et Claudel : l'un est resté profondément attaché aux découvertes sensitives et intérieures, l'autre définit plutôt la "co-naissance" et "l'intelligence" progressive du monde.

Nous aurons donc à faire la part de l'influence artistique des grands courants du XXe siècle, sans négliger une réflexion et une sensibilité particulières à certaines personnalités, dont la pensée et l'œuvre ont laissé une empreinte importante sur toute une génération.

Pour le langage aussi, Ponge doit beaucoup à ses prédécesseurs. Son *Malherbe* montre un attachement à un certain classicisme ; mais surtout depuis Mallarmé est apparue la "tentation du silence", en sorte que le problème du langage est peut-être un des plus importants de notre époque. Déjà sensible aux surréalistes, qui voyaient dans le verbe inanité ou étrange pouvoir de création par le jeu, la difficulté de la parole et son mystère restent la matière principale d'un des chefs de *La Nouvelle Revue française,* à savoir Jean Paulhan, dont l'œuvre et surtout la présence ont influencé Francis Ponge, celui-ci mettant au premier plan, dès ses premiers textes, la *considération* des mots, de cette matière informe, pourtant maniée par tous, qu'il s'agit de "prendre en réparation"[5]. C'est dire que s'il y a certainement héritage, il doit y avoir aussi originalité dans l'inédit et l'inexprimé. L'auteur est même catégorique :

> « Tout a été dit », prétend La Bruyère, etc. Voilà ce à quoi nous ne saurions souscrire, pour deux raisons :
> « 1. Rien n'a été dit des moindres choses, puisque tout ne l'a jamais été que du point de vue de l'homme seulement.
> « 2. Toutes les combinaisons logiques possibles n'ont évidemment pas été épuisées. Bien que les mots soient en nombre limité dans chaque langue, une infinité de leurs combinaisons est encore possible, cela est évident.
> « Donc, tant au point de vue du monde extérieur que du point de vue des combinaisons verbales, nous avons du pain sur la planche, qu'on m'en croie ! » (*PM*, p. 173.)

"Dit", "choses" : tels sont en effet les deux grands mondes de Francis Ponge, et force est de constater qu'en raison d'un gâchis quotidien, nous sommes face à un paradis perdu. Cependant tout tragique est refusé : si nous sommes manifestement "refaits", il nous reste à refaire le monde :

> « Seule la littérature (et seule dans la littérature celle de description — par opposition à celle d'explication — : parti pris des choses, dictionnaire phénoménologique, cosmogonie) permet de jouer le grand jeu : de refaire le monde, à tous les sens du mot *refaire,* grâce au caractère à la fois concret et abstrait, intérieur et extérieur du VERBE, grâce à son épaisseur sémantique.
> « Ici Camus et moi nous rejoignons Paulhan. »[6]

Ce passage capital met en valeur deux thèmes essentiels : "jouer" et "refaire", et nous introduit à la notion fondamentale de Francis Ponge : la récréation ; récréation aux deux sens du terme : tout d'abord la régénération, la remise en fonctionnement, comme l'entend La Fontaine dans "Phœbus et Borée", que cite Ponge, à la suite de Littré :

> « Le soleil dissipe la nue
> « Récrée et puis pénètre enfin le cavalier. »[7]

La deuxième acception du mot est justement celle de jeu, de détente, comme on dit que les enfants sont en récréation.

Dès lors peuvent être définis l'objet de notre analyse ainsi que sa méthode. C'est en suivant les multiples remarques de Ponge sur sa *création,* claires ou dissimulées, que nous nous efforcerons de comprendre sa *récréation*[8]. Celle-ci se porte tout d'abord sur le monde, déformé par des siècles d'idéologies ou de sentiments subjectifs, qu'il faut redécouvrir grâce aux multiples sédiments que la nature a déposés ; elle concerne ensuite le langage, dont il faut exposer les faiblesses, mais aussi les capacités, pour parvenir à une nouvelle rhétorique, en somme, comme le dit Ponge, savoir utiliser :

> « nos sens, qui enregistrent les phénomènes (...) puis nos facultés d'esprit, telles qu'elles sont, qui

nombrent, calculent, généralisent (...) et enfin nos langages, nos écritures. » (*AC*, p. 290.)

Une question se pose alors : le monde des mots peut-il s'adapter à celui des choses pour réaliser une pleine récréation ? A priori c'est impossible ; seul l'arbitraire du signe permet un lien entre signifiant et signifié. Mais si justement le jeu intervient pour réaliser cette coïncidence, si l'humour s'en mêle et, constatant que tout (mots, choses) est de même matière, parvient par connivence à restaurer le fonctionnement universel, alors une certaine réaction permettra récréation et même jubilation.

Ainsi parviendrons-nous à définir l'originalité de Ponge : une nouvelle familiarité avec le monde et le langage, non pas simple, comme on pouvait d'abord le croire, mais exigeante, au point que seule une vérité qui "jouit" pourra justifier ce « tremblement de certitude » relevé par certains[9]. Mais plus encore il apparaîtra que cette puissante œuvre, qui se veut contre la rhétorique et cherche à se débarrasser de la poésie, transforme considérablement la recherche littéraire et artistique du XXe siècle.

NOTES :

*1. « Nouvelle litote précieuse (ascèse ou constipation ?) » (*PM*, p. 298.)*
2. EPS, *p. 16.*
3. Colloque de Cerisy, *p. 35.*
4. Proêmes *in* TP, *p. 243 (*PPC, *p. 214).*
5. "Le Murmure" in GRM, *p. 193 (*M, *p. 200).*
6. TP, *p. 227-228 (*PPC, *p. 200-201).*
7. "Le Soleil placé en abîme" in GRP, *p. 158 (*P, *p. 140).*
8. A noter cette phrase significative dans "Le Murmure" : Les poètes « ne travaillent pas à partir d'idées mais disons grossièrement de mots. Dès lors nulles conséquences. Sinon quelque réconciliation profonde : création et récréation. » GRM, *p. 194 (*M, *p. 201). (C'est nous qui soulignons.)*
9. Cf. la préface de Proêmes *in* TP, *p. 119 (*PPC, *p. 105).*

FRANCAISE

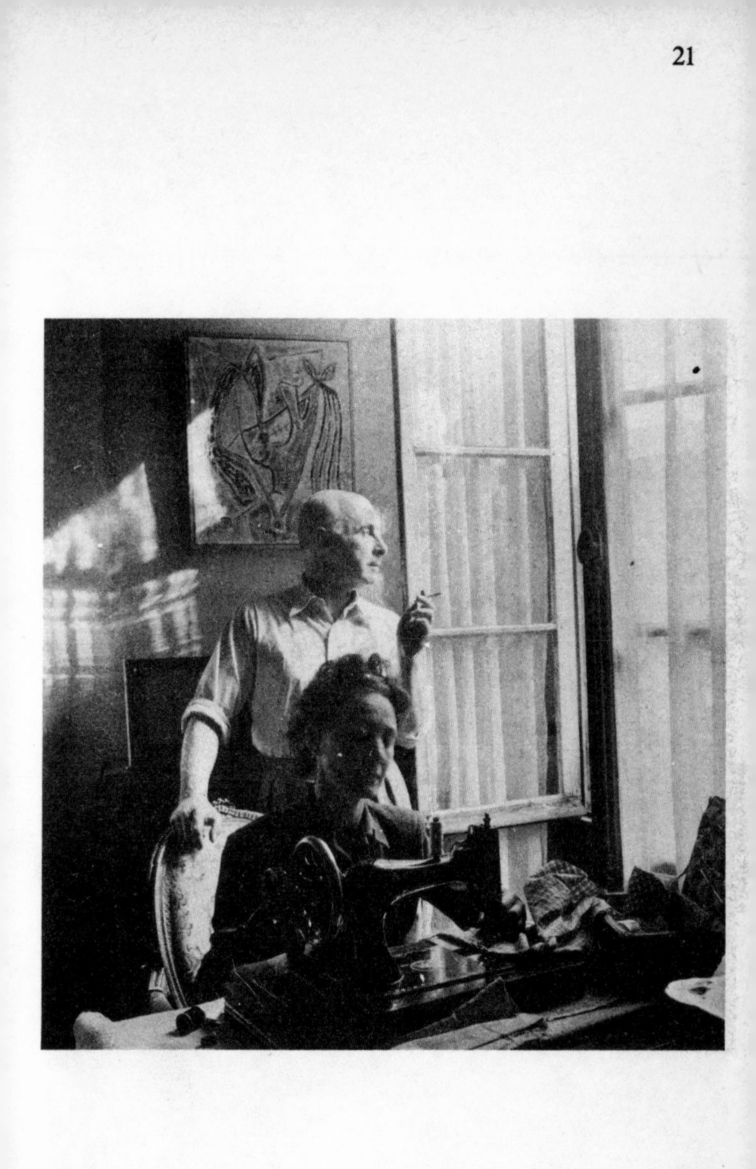

Crédits photographiques :
P. 17 : cl. Roger-Viollet ; p. 18 : cl. Izis Bidermanas ; p. 19 : cl. Izis Bidermanas ; p. 20 : cl. Izis Bidermanas ; p. 21 : cl. Izis Bidermanas ; p. 22 : cl. Bassouls (Rush) ; p. 23 : cl. Bassouls (Rush) ; p. 24 : cl. Bassouls (Rush).

I.
Appréhension et connaissance du monde

Récréer suppose un travail sur une matière déjà existante dont il faut s'efforcer d'éclaircir les mystères. Ainsi tout commence par une connaissance du monde. Or la plupart des philosophies ont dû poser la question fatidique du : "Que sais-je", pour y répondre par un scepticisme plus ou moins accentué. Francis Ponge ne pouvait donc pas éviter ce problème ; bien mieux, il le place au cœur de ses réflexions, mais loin de s'en tenir à un pessimisme négatif, il tente de rendre utile ce qu'il possède, en comprenant d'abord que c'est « un rien qui n'est pas rien »[1].

Observateur strict et lucide, il expose ce qui rend cette connaissance difficile, pour que cette explication soit déjà un constat sur lequel on pourra travailler ; puis il remarque que le monde possède intrinsèquement des états, des qualités, des caractères dont les liens ou les lois peuvent être appréhendés d'une manière déjà satisfaisante. Il peut alors présenter la méthode permettant d'aller à la quête des choses, avec une raison et une joie dignes du Montesquieu, qu'il glorifie dans son *Atelier contemporain*[2].

NOTES :
1. "E. de Kermadec" in AC, *p. 319.*
2. "Note hâtive à l'éloge d'Ebiche" in AC, *p. 350-352.*

1. Les difficultés de la connaissance

L'attitude de Ponge part d'un reproche fait à ses prédécesseurs : ils n'ont défini le monde qu'en se rapportant à leurs Idées ou à leurs Sentiments, et ils ont négligé une connaissance plus objective voire plus esthétique, bref ils ont été plus "intellectuels" qu'"artistes"[1]. Il est vrai que le grand responsable est l'homme qui, au mépris des autres créatures, a imposé son appréciation des choses et sa vue du monde, empêchant un nécessaire recul pour accommoder sa perception et son intelligence de l'univers :

> « On a dans notre époque tellement perdu l'habitude de considérer les choses d'un point de vue un peu éternel, serein, sirien (de Sirius) que... »[2]

Scepticisme sur les idées

F. Ponge affirme donc un fort scepticisme sur les idées. Quand on sait qu'il n'a tenu qu'à sa propre décision de ne pas être agrégé de philosophie, après avoir été admissible, on peut être étonné, ou, au contraire, mieux comprendre la personnalité de l'écrivain. Il y a une extraordinaire fidélité à une vocation intérieure, mais aussi un refus par inaptitude et incompatibilité :

> « Les idées ne sont pas mon fort. Je ne les manie pas aisément. Elles me manient plutôt. Me procurent quelque écœurement, ou nausée. Je n'aime pas trop me trouver jeté au milieu d'elles. Les objets du monde extérieur au contraire me ravissent. »[3]

Ce n'est pas pour autant qu'il faudrait nier toute présence philosophique ; d'ailleurs la plupart des critiques (les premiers surtout) l'ont soulignée : Sartre qui voyait en Ponge un nouveau phénoménologue, H. Maldiney qui a rapproché sa pensée de la réflexion hégélienne, et même Paulhan qui dans une de ses lettres parle, à propos du *Murmure*, de "philosophie politique"[4]. Ponge le laissait entendre avec ironie, en affirmant :

> « Rien de plus étonnant (pour moi) que ce goût pour moi des philosophes : car vraiment je ne suis pas intelligent, les idées ne sont pas mon fait, etc. Mais après tout... » (*GRM*, p. 16/*M*, p. 16.)

On peut voir dans cette attitude une parenté avec la fameuse ignorance de Socrate. Mais n'est-ce pas tout simplement affirmer que c'est en ne cherchant pas d'idées qu'on finit par en avoir ?... C'est là en tout cas la réussite de la fameuse Paresse pongienne. Plus généralement, Ponge considère aussi que le langage constitué est porteur de valeurs philosophiques, intrinsèquement. On ne peut y échapper. Cependant c'est un magma à employer, pas forcément une fin.

Par ailleurs, Ponge a rappelé son goût pour certains philosophes (Schopenhauer, Locke ou Russell, Spinoza) ou certains de ses professeurs (Brunschvicg et Lalande), goût qui s'explique moins par leurs idées que par leur caractère tragique, volontaire ou surtout logique[5]. La philosophie n'est donc pas un but en soi, mais on rencontre bon an mal an ses chemins.

F. Ponge attend, comme Boëce qu'il mentionne dans sa *Figue*, une "consolation philosophique"[6] ; son maître à penser est Epicure ou son disciple Lucrèce, des philosophes bien sûr, mais d'abord des matérialistes pour lesquels toute idée repose sur des éléments et des principes, qui s'expliquent par la nature des choses, et que l'on apprécie avant tout par la valeur de certaines sensations.

Dans cette condamnation sévère des idées, Ponge formule deux critiques essentielles à l'aide de deux champs lexicaux : la fragilité et la nausée :

> « Les opinions les mieux fondées, les systèmes philosophiques les plus harmonieux (les mieux constitués) m'ont toujours paru absolument fragiles, causé un certain écœurement, vague à l'âme, un sentiment pénible d'inconsistance. » (*GRM*, P. 9/*M*, p. 9.)

Il va de soi que la philosophie, fumeuse et abstraite, est aux antipodes du projet de Ponge, lequel se réclame de clarté, de présence réelle et palpable et surtout de plaisir, fondement même de toute récréation esthétique.

Comment expliquer ce "dégoût des idées"[7] ? F. Ponge s'en est maintes fois expliqué, notamment dans *My creative method.* Plusieurs motifs complémentaires peuvent être décelés. Le premier, c'est que toute réflexion personnelle est limitée car trop partiale et trop partielle tant dans le temps que dans l'espace social :

> Les idées, les opinions me paraissent commandées en chacun de nous par tout autre chose que le libre arbitre ou le jugement. Rien ne me paraît plus subjectif, plus épiphénoménal. (...) Vouloir donner son opinion pour valable objectivement, ou dans l'absolu, me paraît aussi absurde que d'affirmer par exemple que les cheveux blonds bouclés sont plus *vrais* que les cheveux noirs lisses. »[8]

Ponge en vient alors à exposer le côté contextuel de l'idée, son intertextualité : elle n'a pas vraiment d'essence propre, mais se construit par référence à un donné social et esthétique :

> « Et d'abord comment en ai-je pu avoir idée, comment la conçois-je ? *Par* les œuvres artistiques (littéraires). » (*GRM*, p. 13/*M*, p. 13.)

Affirmer ainsi que toute vérité devient impossible dans l'absolu, c'est s'acheminer vers un scepticisme et un pessimisme constatant l'incompréhension du monde et la vanité de toute explication. Les philosophes de ce type n'ont pas manqué à notre époque, à commencer par Camus. Or c'est justement à ce dernier que Ponge s'oppose, en découvrant le rôle rassurant qu'il a à jouer. Il répond dans ses *Pages bis :*

> « Oui, le *Parti pris* naît à l'extrémité d'une philosophie de la non-signification du monde (et de l'infidélité des moyens d'expression). Mais en même temps il résout le tragique de cette situation. Il dénoue cette situation. »[9]

Comment ? En retrouvant la pleine humilité (au sens étymologique), en se détachant d'un absolu métaphysique inaccessible, pour profiter de la réjouissante force du métalogique, où la raison sait "*qu'elle doit s'appliquer au relatif*"[10]. Car il reste à l'écrivain un pouvoir : avec sa matière verbale, son texte, il peut donner un corps à ce monde qui n'était que fantomatique, il peut faire un objet textuel réel, sans doute critiquable, mais offrant au moins un aspect tangible à l'examinateur :

> « Il n'est pas tragique pour moi de ne pas pouvoir expliquer (ou comprendre) le Monde. D'autant que mon pouvoir poétique (ou logique) doit m'ôter tout sentiment d'infériorité à son égard. Puisqu'il est en mon pouvoir — métalogiquement — de le *refaire.* » (*TP*, p. 224/*PPC*, p. 197.)

Il y a donc une prédilection de Ponge pour le relatif, ce qui le conduit naturellement à un pluralisme qui s'oppose à cette "nostalgie de l'Unité" dénoncé dans l'essai sur Camus. Nous reviendrons sur l'importance de la variété, mais il faut déjà souligner que la question primordiale n'est pas "être ou ne pas être ?" (il faut "être RESOLUMENT"[11]). A cette métaphysique sclérosante et dangereuse dans sa quête absolue, il faut préférer les apports et les rapports que fait nécessairement apparaître toute pluralité :

> « Non pas être, mais êtres.
> « L'infinitif pluriel. » (*AC*, p. 341.)

Cette formule est bien plus qu'une bizarrerie grammaticale ; c'est un véritable manifeste qui doit être éclairci.

Tout d'abord Ponge préfère l'infinitif à l'infini, dans lequel il voit une notion trop abstraite, partant dangereuse voire fausse ; refusant là encore tout air d'absolu, il le définit en le matérialisant :

> « Qu'est-ce donc que l'infini ? Pratiquement c'est tout simplement l'horizon. Plus ou moins proche selon la qualité de la vue. Beaucoup plus proche pour le myope. (Encore un endroit où je trouve Pascal en défaut). »[12]

Plus encore, Ponge considère tout absolu comme une bévue de l'esprit. En effet, le monde offre plutôt une infinité de choses que l'infini, il est moins le domaine de l'unité que celui de la pluralité. A l'instar du philosophe V. Jankélévitch évoquant l'ironie, il suffit, pour y voir clair, de porter un nouveau regard :

> « L'ironie introduit dans notre savoir le relief et l'échelonnement de la perspective. — En même temps qu'il s'éloigne de nous, l'objet va rejoindre dans l'espace les autres objets qui serviront à le définir. S'il y a un objet, il y a plusieurs objets ; ou *vice versa*, s'il n'y a qu'un objet, il n'y a pas d'objet du tout. L'objet, telle la qualité ou la couleur, implique immédiatement le pluriel. » (*L'Ironie*, pp. 21-22.)

Cette pluralité, propriété essentielle de l'Univers, ne concerne pas seulement l'espace ; elle caractérise un des autres fondements du monde, à savoir le temps :

> « Non seulement l'objet n'est qu'un détail, mais encore il n'est qu'un *moment*, et le propre du

"moment", c'est d'avoir un rôle tout épisodique dans la succession des phénomènes. » (id. p. 23.)

Nous sommes replacés en face d'une traditionnelle décomposition du temps, à savoir Aiôn et Chronos ; il y a opposition et complémentarité entre une vue diachronique et une vue synchronique. Sur ce point l'analyse de G. Deleuze devient éclairante :

> « Bref : *deux temps, dont l'un ne se compose que de présents emboîtés, dont l'autre ne fait que se décomposer en passé et futur allongés.* Dont l'un est toujours défini, actif ou passif, et l'autre, éternellement Infinitif, éternellement neutre. »[13]

A cette neutralité plus souple que celle d'un infini peu malléable et générateur d'angoisse, il faut, pour éviter le désespoir moderne, ajouter la pluralité permettant le succès relatif d'un Sisyphe "heureux" ; car ce n'est plus une tâche unique et infinie qui l'attend, mais une variété d'opérations conduisant à des "résultats positifs"[14]. Ponge reprend donc à son compte les anciennes découvertes des philosophes matérialistes comme Epicure :

> « Le phénomène essentiel, premier, principal, originel — d'où tout découle, ou découlerait — ne serait-ce pas celui de l'espèce (de la *pluralité* des individus) — dans le temps (générations, régénération) comme dans l'espace (communication, sociétés) ? » (*FP*, p. 28.)

Voilà qui explique un des buts principaux du *Malherbe* : « Non pas être, mais êtres », un des leit-motive de *La Figue ;* fi des réflexions sur l'être ! Ce qui compte, ce sont les "façons d'être" des choses :

> « *La Figue* : la *sainteté,* le caractère sacré des "façons d'être" ayant fait de toute éternité leur preuve. » (id. p. 29.)

Quant à lui, Ponge préfère donc le défini au définitif, l'infinitif à l'infini. C'est qu'ainsi apparaissent les possibilités du langage, du mot dans son épaisseur concrète, sa réalité matérielle et variée. Le pluriel, terme lui aussi grammatical, ajoute les vertus des différences rendant possibles analyse et définition. Que devient alors le hasard ? Sa manifestation est double : dans le monde, où selon une vision baroque il participe au multiple, au perpétuel renouvellement de l'espace et du temps, mais plus encore dans le langage. Il devient un jeu verbal où les éléments se rencontrent non par hasard, mais par humour. Au tragique d'une vision sur l'absurde de l'infini succède le plaisir de la récréation. Le magnifique texte présentant *Le Galet* est sans doute, avec *Le Pré,* la meilleure illustration de cet "infinitif pluriel". Malmené dans l'espace et le temps, le vénérable galet n'avait aucune chance par rapport à l'énorme rocher que roulait absurdement l'infortuné Sisyphe ; mais le poète, sensible aux multiples états de ce résidu du déluge, a su, grâce au langage et à la récréation, épouser sa condition et s'en sortir le mieux possible :

> « Ayant entrepris d'écrire une description de la pierre, il s'empêtra. »[15]

La question est alors de savoir si Ponge refuse toute abstraction, certains cherchant à le mettre en défaut sur ce point. La réponse ne peut pourtant être que négative, et Ponge s'en est expliqué. Tout d'abord si La Fontaine est préféré à Schopenhauer et à Hegel[16], ce n'est pas sans une connaissance et une estimation profonde de leur philosophie ; car certaines questions doivent parvenir à la réflexion, c'est nécessaire et utile ; mais s'y complaire devient dangereux : il faut dépasser ces problèmes, et c'est souvent à partir d'eux que se développe le projet d'écriture : les idées ne sont pas supprimées dans la mesure où elles peuvent, comme repoussoir servant de base, conduire à un progrès de la connaissance, grâce à une communication et à un langage limpides ; c'est ce que Ponge appelle leur "valeur tactique" qu'il oppose à leur valeur absolue[17].

Ainsi l'abstraction existe, mais a posteriori et par rapport au projet d'écriture ; en effet la désignation et la nomination exigent qu'on accentue le trait dominant. Ainsi s'explique l'apparent paradoxe relatif à la présentation des "qualités" de l'objet :

> « Mais devons-nous, pour les rendre plus frappantes et susceptibles d'approbation, tendre à l'abstraction de ces qualités ? Voici qu'à nouveau la question se repose. Eh bien, ici, dans une mesure importante, la réponse est plutôt *oui.* »[18]

Mais plus encore le mot a le plus souvent un contenu renvoyant à la morale et à la philosophie ; on ne peut y échapper ; ce sont les siècles qui ont apporté cette connotation ; les mots ont donc des idées, qu'ils le veuillent ou non. Ponge continue cependant à préférer « leur contenu concret, qualificatif, sensible »[19] ; car celui-ci peut offrir plus d'attrait dans la finesse et la grâce de sa complexion :

> « Il est ainsi certains mots qui tiennent plus d'esprit et de beauté que nos plus riches idées. » (*NR*, p. 15.)

Dès lors si les philosophes et les poètes manient la même matière, ils se séparent nettement par le traitement (heureux ou malheureux) qu'ils en font :

> « La non-signification du monde peut bien désespérer ceux qui, croyant (paradoxalement) encore aux idées, s'obligent à en déduire une philosophie ou une morale. Elle ne saurait désespérer les poètes, car eux ne travaillent pas à partir d'idées, mais disons grossièrement de mots. Dès lors, nulles conséquences. Sinon quelque réconciliation profonde : création et récréation. »[20]

La deuxième raison pour refuser les idées, c'est qu'elles peuvent conduire aux idéologies, lesquelles sont particulièrement aléatoires, dangereuses et tôt ou tard reconnues comme fausses à l'instar de l'Histoire. Plusieurs fois Ponge a évoqué les périls de leur tentation à laquelle se laissent prendre les hommes : dans *Pour un Malherbe,* sans méconnaître le besoin et l'intérêt d'une "Nouvelle Poésie", il se déclare préoccupé par le dogmatisme outré qui s'y fait jour. Plus encore dans "Le Murmure" et "Le monde muet est notre seule patrie", il met en garde contre ces illusions qui ont construit l'histoire et provoqué la ruine des civilisations.

> « Nous savons qu'après une période de découverte des nouvelles valeurs (toujours prises directement au cosmos, mais de façon magnifiante, non réaliste) vient leur élaboration, élucidation, dogmatisation, raffinement ; nous savons surtout, parce que nous vivons cela en Europe depuis la Réforme, qu'aussitôt des valeurs dogmatisées naissent les schismes, d'où tôt au tard catastrophe suit. »[21]

L'idéologie peut donc être néfaste aussi bien en politique qu'en littérature, et il faut parfois "oser" le dire ; c'est que toute conception monocorde peut conduire au fanatisme, et les événements apportent les "punitions" inévitables après une telle exaltation. Faut-il alors voir une condamnation de la littérature engagée ou tout au moins une méfiance à son égard ? On ne peut oublier son affirmation :

> « Le monde muet est notre seule patrie. » (id.)

Mais, comme pour les idées, Ponge ne refuse pas de les évoquer dans leur forme idéologique, car tout dogmatisme a aussi sa valeur tactique. Ce qui compte, c'est de savoir *abolir* au lieu d'idéaliser. De plus, quand il a jugé que les valeurs du monde étaient en jeu, que sa conviction profonde était menacée, Ponge a toujours su garder une admirable fidélité à lui-même ; il a su avec virulence et sans ambiguïté prendre parti :

> « Je ne peux me concevoir que prenant parti, et je crois que ne pas prendre parti, c'est encore en prendre un (le mauvais). »[22]

Il a donné une "Interview à la mort de Staline"[23] ; il a milité au Parti communiste dans son souci de défendre des valeurs sociales, et l'a abandonné par refus du dogmatisme totalitaire ; il s'est occupé de l'hebdomadaire *Action* et l'a quitté quand il l'a jugé trop sectaire ; il a donné des articles au groupe *Tel Quel* avant de s'en tenir plus détaché ; il a défini nettement sa position politique et civique dans le texte de mars 1978 : « Nous, mots français »[24], et il semble, ces dernières années, qu'un « certain état de choses et un tour assez dramatique de la conjoncture »[25] apportent plus de textes dans ce ton, et qu'en dépit d'un scepticisme rappelant bien la sagesse de Montaigne, il puisse s'écrier :

> « Sed tamen effabor ! Pourtant, je parlerai ! »[26]

Dès lors peuvent s'établir des principes qui vaudront pour l'esthétique et même pour la conception du monde : tout d'abord il y a joie à reconnaître « par fierté humaine, promothéenne »[27], que l'objet littéraire ou artistique, parce qu'il se fonde sur un texte ou sur une matière propre à une création, a plus de chances de vie, de "Paradis", que l'objet naturel :

> « J'aime mieux un objet, *fait de* l'homme (le poème, la création métalogique), qu'un objet sans mérite de la Nature. » (Id.)

C'est pourquoi Ponge préfère sans hésiter la "figue de paroles" dans le titre qu'il a choisi pour le recueil des manuscrits sur ce fruit, à la "véritable figue". C'est que la figue sera faite de paroles, qu'elle aura atteint cet honneur qu'on en parle, qu'elle sera fixée dans un texte dont le principal mérite sera que la figue sera "de parole"[28], c'est-à-dire qu'on pourra s'y fier, qu'on retrouvera sa valeur à l'envie et même à l'envi, grâce à l'objet artistique. De toute évidence une telle conception rappelle Proust sur au moins deux points : tout d'abord pour lui la réalité s'efface devant la vision artistique ; c'est ce qui fait que la fille de cuisine devient la "Charité de Giotto", que la petite église devient une cathédrale par le merveilleux de l'esthétique verbale. Puis une des joies exaltantes du *Temps retrouvé* est justement dans cette pérennité des choses apportée par l'œuvre artistique :

> « La vraie vie, la vie enfin découverte et éclaircie, la seule vie par conséquent réellement vécue, c'est la littérature. » (*Le Temps retrouvé*, p. 44.)

Ponge préfère donc le dit et surtout l'écrit à ce qui est, et plus encore à ce qui est pensé :

> « Fi des opinions ! Nous n'y croyons plus ! Nous entrerons dans la gloire des mots en ménageant leur signification et leur fonctionnement. » (*PM*, p. 194.)

Ce fonctionnement implique jeu, joie, récréation, et refuse la morosité tragique de la philosophie. Mais, nous l'avons vu, ce n'est pas toute philosophie que l'on rejettte ; on préfère l'intuition associée à l'expression :

> « Nous pensons que c'est dans l'épaisseur du langage et de nos intuitions les plus arbitraires en présence de l'épaisseur des choses du monde sensible, que se trouvent les nouveaux principes de la morale, les nouvelles formes de l'esprit humain. »[29]

Car il en est de même de la morale et de la philosophie. Nous ne pensons pas, comme l'ont fait de nombreux critiques dont G. Picon, que Ponge soit moraliste par intention, mais beaucoup plus par obligation, en ce sens que c'est la parole qui contient la morale, qu'on ne peut séparer les deux ; la morale est là, mais indirectement :

> « Eh bien, quant à moi, les discours ou les œuvres d'art basés sur la psychologie (ou la morale) humaine ne me parurent jamais pouvoir être *mon fait*. J'entends les œuvres de psychologie ou de morale *directes*. » (*S*, p. 117.)

Autrement dit, il y aura une nouvelle morale : celle qui viendra des objets, et parmi ces objets l'un des plus importants est le langage ; à la suite des anciens, Ponge comprend que la rigueur morale est inséparable de celle de la rhétorique, que l'une entraîne l'autre, que le sage devient poète, mais plus encore que le poète devient sage. C'est la "leçon" de l'escargot :

> « Perfectionne-toi moralement et tu feras de beaux vers. La morale et la rhétorique se rejoignent dans l'ambition et le désir du sage. »[30]

La place de l'homme

Mais ce scepticisme, ce refus du dogmatisme peut aussi s'expliquer par un comportement humain habituel, qui lèse grandement les choses. Dans le perpétuel rapport de l'homme et du monde, l'égalité n'est pas respectée. Bien des auteurs, comme La Fontaine, ont montré que, au nom d'une prétendue raison, les animaux s'étaient en apparence soumis à leur maître. Mais par rapport aux choses aussi, l'homme prend le dessus et il impose son pouvoir d'analyse. Malgré ses faiblesses, il est devenu le centre du monde, et tout est fonction de sa pensée ; il monopolise même la parole pour exprimer ses problèmes, sans grande attention pour le monde qui l'entoure, lequel ne fait que "des feuilles" ou du vert[31], manifestant pourtant de cette façon son désir d'expression. Désormais toute littérature ne fait état que de l'homme et de l'humain :

> « Tous les livres de la bibliothèque universelle depuis des siècles traitent de l'homme, de la femme, des rapports entre les hommes et les femmes — en France surtout — etc., etc. Souhaitons donc, une fois seulement, quelque chose de profondément respectueux, simplement un peu d'attention, de pitié peut-être ou de sympathie, pour ces rangs, ces rangées de choses muettes qui ne peuvent pas s'exprimer, sinon par des poses, des façons d'être, des formes auxquelles elles sont contraintes, qui sont leur damnation comme nous avons la nôtre. »[32]

F. Ponge définit alors ce qui est plus qu'une simple originalité et qui devient une véritable mission, un devoir, une re-connaissance fondée sur un nouveau regard. Il peut alors réfuter ce qui pourtant apparaissait comme une constatation sûre et fondée, à savoir le fameux : "Tout est dit" de La Bruyère, et ce pour au moins deux raisons :

1. Tous les sujets n'ont pas été abordés, puisque finalement on en a traité seulement un en dépit des nombreuses formes qu'on lui a données : l'homme ou les choses vues par l'homme ; d'où ce paradoxe :

> « Rien n'a été dit des moindres choses, puisque tout ne l'a jamais été que du point de vue de l'homme seulement. » (*PM*, 173.)

2. Quand on a parlé de l'homme, on ne l'a fait qu'à sens unique, et on ne l'a jamais analysé comme un objet, seule façon d'atteindre l'originalité :

> « Pourtant l'on n'a jamais tenté — à ma connaissance —, en littérature, un sobre portrait de l'homme. Simple et complet. Voilà ce qui me tente. Il faudra dire tout en un petit volume. »[33]

Ainsi s'explique le projet de Ponge : il est temps de "prendre en réparation"[34] le monde, de le refaire, de le récréer ; entendons bien : si on ne peut RE-créer ce monde, on peut en faire un objet de RÉ-création, en tout cas un *"quelque chose"*[35] qui SE produit par un Acte Textuel évidemment érotique, comme l'a si bien montré Marcel Spada[36]. Donc écrire un texte sur les choses, c'est inciter ces choses à se produire, au sens d'arriver, mais plus encore au sens où l'on dit qu'un musicien se produit dans un concert :

> « Produire ou reproduire le monde n'est pas l'inventer ni le répéter. Le monde se pro-duit à son propre jour dans la parole, là où elle le signifie à lui-même, où elle signifie le monde comme monde — en l'exposant tel qu'en son recueil. Plus encore qu'une œuvre, c'est une tâche en exercice. »[37]

Un exemple peut montrer combien la nature peut satisfaire le désir de l'artiste Ponge, qui n'a plus qu'à transmettre par son langage le message perçu : c'est celui du papillon :

> « Lorsque le sucre élaboré dans les tiges surgit au fond des fleurs, comme des tasses mal lavées, — un grand effort *se produit* par terre d'où les papillons tout à coup prennent leur vol. »[38]

L'attitude de Ponge peut alors être confrontée à d'autres recherches de notre siècle. Tout d'abord il y a un renouveau considérable dans le désir de réhabiliter la réalité au détriment d'une seule conscience éclairée. Si certains ont montré qu'il ne peut y avoir mimésis du réel au sens d'un réalisme naturaliste, Ponge conscient de cette difficulté, mais persuadé qu'il y a un objectif, pense qu'au-delà des ressources données par la linguistique traditionnelle, peut se chercher une « adéquation des signes aux choses »[39], les signes étant d'ailleurs des objets, une réalité. Prôner ainsi l'importance du monde par rapport à la conscience est un renouveau d'autant plus sensible qu'il survient après les surréalistes ; ceux-ci passionnés par les recherches sur l'inconscient délaissaient l'extérieur ou l'employaient comme accès à l'au-delà ou comme base pour exprimer les images fantasmagoriques de leurs rêves. Ponge ne saurait donc suivre Breton quand il déclare :

> « Un courant d'opinion se dessine enfin, à la faveur duquel l'explorateur humain pourra pousser plus loin ses investigations, autorisé qu'il sera à ne plus seulement tenir compte des réalités sommaires. »[40]

Pour lui il n'y a pas de réalité sommaire, puisque chacune peut nous conduire au Paradis perdu. Il ne faut plus se projeter dans les choses, se mettre dans la pomme, comme Henri Michaux, mais bien plus les faire se projeter jusqu'à nous, en *exprimer* toute la *saveur*, tant par leur jus que par leur "parole" ; de ce plaisir, Francis Ponge ne se prive pas : il déguste sa *Figue*, sa *Figue de paroles*...

D'autre part on peut, à la suite de Sartre, parler d'un anti-pragmatisme de Ponge, nier ainsi son seul côté utilitaire et surtout voir que le responsable de cette vision restreinte est une fois de plus l'homme :

> « Pour lui c'est la chose qui existe d'abord, dans sa solitude inhumaine ; l'homme est la chose qui transforme la chose en instrument. Il suffira donc de museler en soi cette voix sociale et pratique pour que la chose se dévoile dans sa vérité éternelle et instantanée. Ponge se révèle ici comme un antipragmatiste... » (*Situations I*, p. 258.)

C'est ainsi qu'on cesse de voir les choses à travers des idées reçues qui créent des stéréotypes ; plus que des besoins ordinaires s'offrent des plaisirs. Au lieu de dire que les pierres sont dures, que l'homme a un cœur de pierre, on apprécie les valeurs du galet ; au lieu de considérer la porte comme un simple instrument, on savoure les "plaisirs de la porte".[41]

Mais, comme l'a souligné J.-P. Sartre, la recherche pongienne rappelle par bien des principes la recherche phénoménologique de type husserlien. Tout d'abord Husserl s'est intéressé à Descartes et à son fameux doute ; si Ponge préfère Malherbe, il n'en reste pas moins qu'on peut trouver une étonnante parenté entre les réflexions de Husserl sur l'évidence et l'erreur, et le scepticisme ou la critique du dogmatisme tels que nous les avons analysés dans son œuvre.

En définitive Ponge tient à exprimer sa complète et résolue différence par rapport aux penseurs et poètes de son temps, par rapport aussi à Husserl, dont les intentions ne sont pas toujours suivies d'effets :

> « Il y a ceux qui envisagent d'abord l'individu (l'homme), le ressentent, le décrivent tel qu'ils le ressentent (les philosophes : Sartre, Camus, Nietzsche — et certains artistes : poètes divers, Michaux, Char (?), Giacometti) ; ceux qui s'écrient en chœur : allons aux choses (Husserl) ou à la terre (Nietzsche).
> Et puis il y a ceux qui plongent *vraiment* dans le monde, dans la nature, dans la terre : moi d'abord. »[42]

Car pour Ponge c'est dans le monde que tout se fait et se défait, que tout meurt et renaît : on voit là l'influence d'Epicure, principalement pour ce qui est de l'essence universelle et du "cyclisme" des choses. Ce matérialisme est en tout cas plus concret que celui d'Husserl.

Cette "réduction" n'est pas sans rappeler aussi la recherche du roman moderne. On sait le désir des auteurs de moins consacrer aux personnages qu'aux objets, dans lesquels ils trouvent toute une vie particulière.

Cependant si ces auteurs s'intéressent aux objets pour découvrir leurs secrets, c'est le plus souvent en vue d'une connaissance qui leur est extérieure, qui s'attache plus à leur existence qu'à leurs "façons d'être", qui ne prend pas assez parti pour les choses. Pourtant c'est là que se trouvent le don et l'attente fondamentaux :

> « Oh ! l'héroïsme de la moindre chose.
> « Sa vertu. Sa patience. Sa volonté d'être comme elle est, comme elle attend qu'on vienne l'admirer ; et l'aimer ! » (*CFPP*, p. 17.)

Il reste à résoudre un paradoxe que certains ont souligné : si Francis Ponge prend le parti des choses, pourquoi consacrer plusieurs pages à l'homme ? Et parler des choses, n'est-ce pas aussi évoquer l'homme ? Ponge ne pouvait ignorer ce problème, et il ne s'est pas dérobé ; simplement il n'a pas toujours été entendu parce que mal écouté. Tout d'abord, encore une fois, il note l'omniprésence de l'homme :

> « Il n'y a que de l'homme. (...)
> « Partout où il y a de l'âme, on est encore chez l'homme. » (*NR*, p. 16.)

Cependant Ponge a toujours refusé d'être accusé d'anthropomorphisme. C'est avec agacement qu'il explique que le choix du mot "opiniâtre" dans son texte "L'Huître" est moins dû à la qualité humaine qu'il évoque (même si ce caractère convient bien), qu'à la présence d'un homéotéleuthe en « accent circonflexe, sur voyelle (ou diphtongue), t, r, e »[43]. Si les mots ont un coefficient humain, ce n'est pas l'écrivain qui en est responsable ; c'est un état de fait auquel nul ne peut échapper. Mais plus encore Ponge ne cache pas l'intérêt qu'il porte à l'homme, pour peu qu'on le considère aussi comme un objet. C'est là alors qu'apparaît au mieux le paradoxe :

> « La lessiveuse, le savon, à vrai dire, ne sont encore que de la haute école : c'est l'Homme qui est le but (Homme enfin devenu centaure, à force de se chevaucher lui-même...) »[44]

Car c'est bien la transformation de l'homme qu'on cherche : transformation par rapport aux choses, mais aussi transformation dans la société. Or pour Ponge les deux sont inséparables : si la Rédemption doit venir "non seulement chez les hommes, mais chez les choses" comme l'aurait dit saint Paul[45], on ne peut séparer deux buts que bien des surréalistes (mais pas tous) ont jugés nécessairement liés : le poétique et le politique. Ainsi s'affirme sans ambiguïté un dessein unique sur l'homme. Ponge s'occupe :

> « *à la fois* de sa rédemption sociale et de la rédemption des choses dans son esprit. »[46]

Mais là encore, c'est l'homme qu'il faut d'abord changer, prisonnier qu'il est de ses seuls sentiments et idées :

> « Certainement, la rédemption des choses (dans l'esprit de l'homme) ne sera pleinement possible que lorsque la rédemption de l'homme sera un fait accompli. »[47]

NOTES :

1. GRM *p. 188 (*M, *p. 195).*
2. GRM, *p. 20 (*M, *p. 20-21).*
3. GRM, *p. 24 (*M, *p. 25).*
4. La lettre est reproduite par M. Spada dans son F. Ponge *(1974) aux pages 124-125.*
5. Cf. EPS, *p. 59.*

6. *Cf. différents passages de* CFPP *où il est question de "consolation matérialiste" (premières pages) ou, selon l'expression de Boëce, de "consolation philosophique" (pages suivantes).*
7. *« Si j'ai choisi de parler de la coccinelle c'est par dégoût des idées. »* Proêmes *in* TP, *p. 219 (*PPC, *p. 193).*
8. GRM, *p. 10 (*M, *p. 10).*
9. Proêmes *in* TP, *p. 221 (*PPC, *p. 195).*
10. Proêmes *in* TP, *p. 224 (*PPC, *p. 197).*
11. Proêmes *in* TP, *p. 229 (*PPC, *p. 202).*
12. *"Fables logiques" in* GRM, *p. 175 (*M, *p. 182-183).*
13. *G. Deleuze :* Logique du sens, *p. 79.*
14. Proêmes *in* TP, *p. 209 (*PPC, *p. 184).*
15. *"Le Galet",* PPC, *p. 101 (*TP, *p. 115).*
16. Proêmes *in* TP, *p. 219 (*PPC, *p. 193).*
17. GRM, *p. 22 (*M, *p. 23).*
18. GRM, *p. 18 (*M, *p. 19).*
19. PM, *p. 194.*
20. *"Le Murmure" in* GRM, *p. 194 (*M, *p. 201).*
21. GRM, *p. 196 (*M, *p. 203-204).*
22. Proêmes *in* TP, *p. 214 (*PPC, *p. 187-188).*
23. GRL, *p. 134-135 (*L, *p. 65-66).*
24. Nouvelle Revue française *n° 302 (mars 1978) p. 54.*
25. *Id. p. 51 ; cf. aussi les "Souvenirs interrompus",* Nouvelle Revue française *n° 321 à 323 (octobre à décembre 1979).*
26. *Id. p. 54.*
27. Proêmes *in* TP, *p. 220 (*PPC, *p. 194).*
28. CFPP, *p. 116.*
29. PM, *p. 164.*
30. PPC, *p. 55 (*TP, *p. 61) Pour Ponge, La Fontaine "ne donne pas de règles morales" mais une "constatation".*
31. *TP, p. 243 (*PPC, *p. 214).*
32. *"La pratique de la littérature"* GRM, *p. 269 (*M, *p. 275).*
33. Proêmes *in* TP, *p. 243 (*PPC, *p. 214).*
34. *"Le Murmure" in* GRM, *p. 193 (*M, *p. 200).*
35. Proêmes *in* TP, *p. 228 (*PPC, *p. 201).*
36. *Dans ses deux* Francis Ponge : *"La plume d'Eros" et dans sa thèse récente :* Erotiques du merveilleux.
37. *H. Maldiney :* Le Legs des choses dans l'œuvre de Francis Ponge, *p. 30-31.*
38. *"Le papillon",* PPC, *p. 56 (*TP, *p. 62) C'est nous qui soulignons.*
39. *D. Delas et J. Filliolet :* Linguistique et poétique *p. 14.*
40. *A. Breton :* Premier manifeste du surréalisme, *p. 13.*
41. PPC, *p. 44 (*TP, *p. 49).*
42. NR, *p. 60 (*AC, *p. 158).*
43. EPS, *p. 111.*
44. *"Pages bis"* Proêmes *in* TP, *p. 215 (*PPC, *p. 189).*
45. *"Appendice au Carnet du bois de pins",* La Rage de l'expression, *p. 160.*
46. *"Notes premières de l'homme"* Proêmes *in* TP, *p. 248 (*PPC, *p. 218).*
47. Rage de l'expression, *p. 161 (*TP, *p. 374).*

2. La nature des choses

Ainsi l'auteur doit jouer avec les difficultés de la connaissance, le plus souvent en raison d'un intellectualisme qui délaisse la matière, ou d'une attitude qui fait de l'homme le centre de sa recherche au lieu d'en faire son objet ; or dans la première approche des choses, une compensation apparaît possible : c'est que la Nature offre par elle-même des principes qu'un observateur avisé peut découvrir utilement.

Différence et essence : le caractère

La première constatation que l'on peut faire, c'est que le monde n'est pas un assemblage d'objets hétéroclites, mais qu'il existe entre certains d'entre eux des points communs, des analogies ; l'écrivain peut donc se donner comme première tâche de recenser toutes les identités de l'univers, remarquables ou plus cachées. Il s'agit moins de définir des correspondances avec un au-delà mystérieux, que de constater des parentés dans ce propre monde. Certains naturalistes comme Flaubert ou Maupassant avaient établi ces rapports utiles à leur effort de description. F. Ponge lui aussi trouve une bonne base dans ces analogies. Il les multiplie dans ses notes sur la crevette :

> « Arqué comme un petit doigt connaisseur, flacon, bibelot translucide, capricieuse nef qui tient du capricorne, châssis vitreux gréé d'une antenne

> hypersensible et pleine d'égards, salle des fêtes, des glaces, sanatorium, ascenseur (...)
> « Je te comparerai d'abord à la chenille, au ver agile et lustré, puis aux poissons. »[1]

Il convient de noter la présence importante de ces analogies dans les textes qui fournissent les "notes premières", donc qui montrent les premiers "états" du texte, sa naissance. Ponge est amené à ce procédé, lorsque la description en vient aux principaux et habituels éléments constitutifs : formes, couleurs, consistance, sensations au toucher ou au goût, milieu. Mais on peut souligner que parmi toutes ces analogies, il en est souvent une qui obtient la préférence en sorte qu'on y revient, parce qu'elle n'exclut pas les autres mais les intègre ; c'est le cas du marabout :

> « Il se présente comme un bouton blanc, bouton de guêtre, bouton de fleur d'oranger, bouton de commutateur (...) Il ressemble aussi (...) à une perle (perle d'huître), donc un bouton encore : bouton de manchette, bouton de col ou de plastron de chemise... »[2]

Il faut souligner dès maintenant que, fréquemment, la perception d'une relation entre les choses passe par la découverte d'une équivoque verbale : l'orange ressemble à l'éponge par sa complexion mais aussi par la finale identique des mots, le cageot est "entre la cage et le cachot" tant par la forme que par les syllabes.

En tout cas, il y a donc une recherche approximative qui se fait au coup par coup, et qui doit aboutir à une meilleure connaissance de l'objet :

> « On peut, pour saisir la qualité d'une chose, si l'on ne peut l'appréhender d'emblée, la faire apparaître par comparaison, par éliminations successives : "Ce n'est pas ceci, ce n'est pas cela, etc." — question métatechnique, ou technique simplement. »[3]

En fait l'auteur refuse un catalogue exhaustif, multipliant les analogies, comme c'est parfois le cas dans *La Rage de l'expression.* Car plus que les comparaisons, il cherche à mettre au jour les différences pour mieux atteindre la particularité essentielle :

> « Les analogies, c'est intéressant, mais moins que les différences. Il faut, à travers les analogies, saisir la qualité différentielle. Quand je dis que l'intérieur d'une noix ressemble à une praline, c'est intéressant. Mais ce qui est plus intéressant encore, c'est leur différence. Faire éprouver les analogies, c'est quelque chose. Nommer la qualité différentielle de la noix, voilà le but, le progrès. »[4]

Or, il faut le reconnaître, les choses allient curieusement le multiple à l'unique, ou comme le dit Ponge "complexité et *singularité*"[5]. Car elles sont la somme de plusieurs qualités, et en même temps leur identité les rend particulières. Il ne faut donc pas tout dire des choses, mais voir leur qualité différentielle. Cependant là encore il y a problème. H. Maldiney souligne bien que différencier c'est exclure, mais que : « exclure c'est établir une opposition et par là c'est inclure. »[6] C'est une dialectique qui donc fait de la différence une propriété de l'objet, chaque différence, aussi minime soit-elle, étant un progrès tant dans la connaissance que dans la construction du texte :

> « En revenir toujours à l'objet lui-même, à ce qu'il a de brut, de *différent :* différent en particulier de ce que j'ai déjà (à ce moment) écrit de lui. »[7]

Il est fort intéressant de constater à ce propos que Claudel a souligné les mêmes caractéristiques concernant l'objet, et, ce qui est le plus étonnant, dans des termes quasi identiques, ce qui montre la similitude de pensée sur la question :

> « Nous ne pouvons *définir* une chose qu'elle n'existe en soi, *que par les traits* en quoi elle diffère de tous les autres. » (*Œuvre poétique*, p. 131.)

Et Claudel retrouve les mêmes termes aussi pour dire que dans toute définition il y a exclusion :

> « Définir, c'est isoler, c'est exclure : c'est dire pourquoi une chose n'est pas toutes les autres. » (Id. p. 157.)

On peut sourire de l'exigence à laquelle s'astreint F. Ponge en la matière, et on peut y voir malice. C'est le cas pour l'eau du *Verre d'eau.* Mais si l'on peut voir un certain humour, il ne faut pas oublier l'extrême souci de circonscrire l'objet dans l'espace et le temps pour en affirmer l'unicité et donc la valeur. Qu'on songe aux mêmes exigences de la part de Proust, lorsqu'il veut évoquer un objet du passé, par exemple l'aubépine rose par rapport aux autres :

> « L'eau du verre est une eau particulière, proche de certaines autres, bien sûr, surtout de l'eau de la carafe, de celle du bol, de l'éprouvette, différente d'elles pourtant et très éloignée, cela va sans dire, de celle des fleuves, des cuvettes, des cruches, et des brocs de terre ; plus éloignée encore de celle des bénitiers.
> Et, bien entendu, c'est sa différence en tous cas qui m'intéresse. »[8]

Or, c'est justement sur ce point aussi que Claudel exprime une exigence. Le côté particulier d'une chose est restreint ; il est la preuve de l'unicité de chaque être, la manifestation d'une valeur propre que l'on doit considérer, reconnaître :

> « Quand j'aurai démonté tous les organes d'une plante ou d'un insecte, je ne saurai pas tout encore, pas plus que je ne saurai tout du *Misanthrope* ou de *l'Avare* par leur découpure sur le décor. Il me reste à apprendre en quoi *cette* feuille, *cet* insecte est essentiellement différent, et par là en quoi il est nécessaire, *ce qu'il fait là,* sa position dans l'ensemble, son rôle dans l'affabulation de la pièce. »[9]

Ainsi la définition semble reposer sur deux exclusions : l'une privilégiant la chose par rapport aux autres grâce aux différences, l'autre allant de caractérisation en caractérisation pour aboutir à l'essence même, au *caractère.* Ponge précise ce point de vue à propos de La Fontaine : admirateur et émule du fabuliste, il souhaiterait cependant une fable qui n'ait d'autre morale, d'autre fonction que de donner la "qualité" de l'objet, en quelque sorte une "fable logique" bouclée, ne renvoyant qu'à ce qui la compose[10] :

> « Comme si La Fontaine au lieu de faire successivement : *Le Lion et le Rat, Le Lion vieilli, Les Animaux malades de la peste,* etc., n'avait fait qu'une fable sur le *Lion.* Ç'aurait été bien plus difficile. Une fable qui donnât la qualité du Lion.
> Ainsi Théophraste et ses *Caractères.* »[11]

Théophraste et aussi La Bruyère à qui Ponge ressemble dans la mesure où il propose des "portraits successifs", mais d'objets, permettant au fur et à mesure de retrouver la propriété de chacun, son intérêt, sa "valeur" oubliée, à condition toutefois de renoncer à une vue pragmatiste :

> « Nous les voyons enfin, au lieu, purement et simplement, de les utiliser.
> Leur caractère précieux nous apparaît alors, leur valeur nous est révélée. » (*S*, p. 123.)

Cependant, une vue dialectique des choses laisse entendre que le caractère est justement l'ensemble des différentes qualités, ou tout au moins leur point commun, leur fondement général. Ponge est conscient de la dualité qui fait différencier et associer les différentes propriétés, et qui caractérise la création artistique :

> « Le poète (est un moraliste qui) dissocie les *qualités* de l'objet puis les recompose, comme le peintre dissocie les couleurs, la lumière, et les recompose dans sa toile. »[12]

Dès lors, deux sortes de texte apparaissent : tout d'abord ceux qui construisent, fabriquent l'écrit en rassemblant les données, pour aboutir à des notes de travail ; puis ceux qui mettent en valeur un trait dominant, une particularité : un titre comme : "Particularité des fraises" est en ce sens très significatif. En somme Ponge nous offre tantôt la poièsis, tantôt le poièma, le poème et sa fabrique. Un texte comme "Notes prises pour un oiseau" expose bien ce processus : plusieurs pages montrent la recherche de l'écrivain pour évoquer le vol ou l'aspect de l'oiseau ; mais l'essentiel n'est pas perdu de vue. Ponge sait qu'il doit parvenir à ce qu'il appelle le "nœud" :

> « Lorsque j'aurai écrit plusieurs pages, en les relisant, j'apercevrai l'endroit où se trouve ce nœud, où est l'essentiel, la qualité de l'oiseau. Je crois bien que je l'ai déjà saisi. Deux choses : le petit sac de plumes, et le foudroyant départ capricieux en vol (l'étonnant départ en vol). »[13]

Il faut préciser que la fabrique ne doit éliminer aucun élément, au nom d'une hiérarchie artistique ; au contraire les tares recèlent souvent l'essentiel, car elles font apparaître les difficultés qui sont la preuve d'une richesse à atteindre :

> « Avouer les anomalies, les proclamer, lui en faire gloire, les nommer : un nouveau *caractère.* » [14]

Ainsi la bonne description vient moins de la beauté de telle ou telle qualité que de la précison que l'on cherche pour la circonscrire ; car à force de chercher la justesse, on découvre une partie mal discernable, qui résiste à tout nouvel éclaircissement ; le caractère tant cherché devient mystère, c'est-à-dire non seulement obscurité, mais surtout valeur sacrée, religieuse, en un mot, beauté :

> « Le mystère vient de la justesse. » (*CFPP*, p. 16.)

Ce paradoxe significatif est encore mieux exposé dans une note que Ponge a écrite à propos d'un texte d'E. Walther, et que nous reproduisons telle quelle :

« La beauté du (particularité
mystère de *chaque* variété)
chose (naît de la
sans vergogne

précision de la
description)
non réalisme. »[15]

En somme, comme l'exprime la suite du même manuscrit, on part du mystère incompréhensible des choses, de leur chaos, pour aller, par les vertus de la précision, au merveilleux Mystère de leur expression. C'est là l'unique but de l'écrivain, si ce n'est sa Raison et sa Joie de vivre :

« Quelle raison d'écrire, sinon cet émerveillement devant la variété et le *mystère des choses.* » (Id.)

Loin de se plaindre de cet insaisissable, Ponge s'en réjouit, car une existence particulière se révèle par un mystère que certains néophytes jugent troublant, mais que lui considère comme une :

« plutôt rassurante (donnant confiance) irréductibilité à la connaissance (à la définition). »[16]

Le déterminisme des choses

S'il y a, entre les objets, des différences dont la découverte permet d'atteindre au caractère sacré de chaque chose, il existe aussi d'autres rapports importants de dépendance. L'œuvre de Ponge laisse souvent voir ce déterminisme des choses qui est nécessaire à leur existence et à leur connaissance. H. Maldiney souligne bien la dialectique de ce paradoxe essentiel :

« La chose en effet n'est une et unique, elle ne s'intègre elle-même dans son unité exclusive, que si sa différence lui est propre, libre de tout lien. Mais d'un autre côté, elle n'est différente qu'à différer de toutes les autres auxquelles elle s'oppose par sa différence, mais desquelles elle ne se différencie que dans cette opposition. Elle est déterminée par toutes les autres que réciproquement elle détermine. »[17]

Cette vision des rapports du monde s'explique par le désir de saisir les liens, la logique de l'univers, les lois et les principes qui unissent les divers éléments, comme le ferait un physicien. Mais plus encore, il faut, à l'exemple de Lucrèce, un examen plus intuitif, méta-logique, qui permette des relations nouvelles, plus empiriques :

> « des correspondances inédites, qui dérangent les classifications habituelles, et se présentent ainsi de façon plus sensible, plus frappante, plus agréable aussi. »[18]

Le terme de "correspondances" peut faire penser à Baudelaire, et même, si l'on y rajoute "inédites", au surréalisme qui était avide d'inattendu et grisé par la nouveauté d'un rapprochement fortuit ; cependant pour Ponge ces relations ne seraient pas découvertes par un simple et seul hasard, mais plutôt par une attention à des réalités simples et proches non encore remarquées ; comme Balzac faisant découvrir au fil de ses romans quelque objet anodin mais plein de sens et de valeurs, ou plus encore comme Proust conscient de cette brusque apparition d'une relation nouvelle, qui n'attendait qu'une considération d'une réalité établie mais encore inconsciente ; plus encore, il y a dans le monde un déterminisme qui fait qu'une réalité peut en éclairer une autre, comme dans un jeu de facettes et de miroirs, qui n'est pas sans rappeler les efforts de la peinture cubiste :

> « Tout se révèle un miroir à facettes
> Et comme un coffre incrusté se renvoie ses feux
> Blancs ou gris-perle, — et même l'arbre ou l'herbe
> Sont revêtus d'une écaille argentée.
> Dotées d'un masque dessus leurs qualités
> Les choses sont ainsi admises au concert
> Et prévenues d'avoir à s'uniformiser. »[19]

Il s'agit donc, comme pour le *Soleil,* d'une "mise en abîme", tout au moins d'une mise en miroir, le soleil étant bien sûr un cas particulier d'aveuglement, celui-ci restant en dernier ressort une caractéristique suffisante pour appréhender ledit soleil :

> « Le Soleil était entré dans le miroir. La vérité ne s'y vit plus. Aussitôt éblouie et bientôt cuite, coagulée comme un œuf. »[20]

Dans ces conditions, l'attitude artistique et critique peut devenir une "courte méditation réflexe aux fragments de miroir"[21]. Il y a, comme en optique, un foyer[22] dont dépend tout ce qui l'entoure, ou plus exactement des foyers multiples qui donnent chacun une lumière particulière au monde. C'est le fameux « ita res accendent lumina rebus » de Lucrèce, que Ponge retrouve dans les chefs-d'œuvre de Braque[23], et qu'on pourrait appliquer aux écrits de Ponge, si l'on considère que *res* désigne toute chose, tant du monde que de l'écriture ; car ici les mots s'appellent les uns les autres, les textes également. C'est la remarque "juste" de Picasso que Ponge aime à rappeler :

> « Vous, vos mots, c'est comme des petits pions, vous savez, des petites statuettes, ils tournent et ils ont plusieurs faces chaque mot, et ils s'éclairent les uns les autres. »[24]

On est donc renvoyé une fois de plus à l'impossible individualité, à la pluralité ; force est de constater le besoin de l'autre qui fait exister l'un : c'est la nécessité de "l'avec" ; toute identification ne peut se concevoir que par référence à ce qui n'est pas la chose, et il y a une majesté dans cette dépendance, une preuve manifeste de l'existence :

> « Ne serait-ce donc pas son entrée en société, sa mise en compagnie de quelque autre (être ou chose), enfin de quelque objet, qui permettrait à quiconque de concevoir son identité personnelle, de la dégager de ce qui n'est pas elle, de la décrasser, décalaminer ? De *se* signifier ? De s'éterniser enfin, dans l'ob-joie.
>
> « Notre *paradis,* en somme, ne serait-ce pas *les autres ?* » (*S*, p. 128.)

Sur ce point encore Ponge rejoint Claudel jusque dans l'expression. Celui-ci en effet était intéressé par l'aspect relationnel du monde et très sensible à son agencement dont il trouvait, lui aussi, une correspondance dans l'écriture :

> « Il y a connaissance, il y a obligation de l'une à l'autre, lien donc entre les différentes parties du monde, comme entre celles du discours pour former une phrase lisible. »[25]

Le déterminisme du monde est double, spatial et temporel, tout comme celui des mots, synchronique et diachronique. Spatial, tout d'abord, car chaque chose dépend évidemment de son milieu, de la contiguïté, tant du point de vue géographique que biologique. C'est particulièrement net dans certains cas : la crevette vit en fonction de l'agitation marine qui l'entoure, le mimosa est une plante méditerranéenne ; plus encore, l'escargot est déterminé par l'humidité qui inversement ne se conçoit pas sans escargot :

> « Au contraire des escarbilles qui sont les hôtes des cendres chaudes, les escargots aiment la terre humide. *Go on,* ils avancent collés à elle de tout leur corps. Ils en emportent, ils en mangent, ils en excrémentent. Elle les traverse. Ils la traversent. C'est une interpénétration du meilleur goût (...) »[26]

Le lézard lui ausi est fonction des lieux a fortiori grâce à un jeu de mots, puisqu'il apparaît « lorsque le mur de la préhistoire se lézarde »[27]. Il y a donc un mimétisme qui pourrait s'expliquer par une sorte de métempsycose de type épicurien.

Mais le temps aussi joue un très grand rôle, au point de créer une causalité double : celle de la suite des âges, conforme à un évolutionnisme mis en valeur dans *La Fabrique du pré,* et celle de l'instant ; l'essence des choses est, dans ce cas, fonction de leur existence. Il y a dans tout objet deux privilèges : l'un diachronique, qui fait que la progression des siècles a modelé sa nature, l'autre synchronique, qui rend unique et vaste toute découverte ; il suffit donc, pour mieux connaître les choses, de voir d'une part leur histoire, laquelle rend compte de cette puissante "sédimentation"[28] nécessaire à la formation, d'autre part leur composition à un moment donné ou même sans repère temporel, ce que Ponge appelle le "compos de qualités"[29]. Ainsi le galet nous est présenté en remontant au déluge et dans un immense univers cosmique, tandis que le ciel de La Mounine apparaît dans un contexte bien précis :

> « Décidément, la chose la plus importante dans ce voyage fut la vision fugitive de la campagne de Provence au lieu dit "Les Trois Pigeons" ou "La Mounine" pendant la montée en autocar de Marseille à Aix, entre huit heures trente et neuf heures du matin (sept heures trente à huit heures au soleil). »[30]

On peut noter ici que, parallèlement au temps, une importance est donnée au lieu particulièrement déterminé. Le cas n'est pas général, mais à l'origine d'une émotion forte, il y a presque toujours des données précises quant au temps et au lieu, ce qui n'est pas sans rappeler Proust. C'est pourquoi Ponge s'intéresse avec précision aux nombreux détails qui particularisent un objet :

> « La forme des choses les plus particulières, les plus asymétriques et de réputation contingentes (et non pas seulement la forme mais toutes les caractéristiques, les particularités de couleurs, de parfums), comme par exemple une branche de lilas, une crevette dans l'aquarium naturel des roches au bout du môle du Grau-du-Roi, une serviette-éponge dans ma salle de bains, un trou de serrure avec une clef dedans. »[31]

Avec *La Seine* ou *La Fabrique du pré,* on voit se mêler deux visions jouant avec les valeurs du temps. Il a fallu des siècles pour façonner la nature, et dans l'instant présent elle révèle une entité particulière. Toute vraie connaissance veut une complète compréhension, “intelligence”, dirait Claudel, de ces moments, et fait appel aux sciences et à un certain empirisme, étant entendu que la légende (ce qui est à dire) renvoie toujours à une part de vérité. On le voit bien dans le “Texte sur l'électricité” où les données mythologiques rivalisent avec les connaissances scientifiques[32].

Enfin le principe du déterminisme ne doit cependant pas cacher d'autres vérités propres aux choses. A force de voir ce qui relie les êtres, on peut être conduit à ne voir qu'unité. Or, Ponge le rappelle plusieurs fois, ce qui constitue le monde, c'est la variété qu'il associe à la pluralité, son œuvre devant être un “*De varietate rerum*”, comme le disait B. Groethuysen[33]. Sans vouloir encore juger du rôle important que cette variété joue dans la création artistique, remarquons qu'elle caractérise doublement, elle aussi, le monde : les espèces sont nombreuses, souvent *déterminées*, là encore, par le temps et le lieu, à l'exception de l'homme :

> « Un porc doit-il vivre dans les forêts, il lui faut *devenir* tout à fait autre, que ses défenses s'allongent, etc. Qu'un cheval doive se nourrir dans une région où il y a moins d'herbe à brouter que de feuilles haut placées sur les arbres ou de régimes de bananes ou de dattes, et le voilà obligé de *perdre* beaucoup des qualités du cheval afin de devenir girafe. »[34]

Mais à ce lamarckisme, il faut ajouter une variété des êtres dans chaque espèce : il y a plusieurs chevaux, plusieurs araignées, plusieurs verres et aussi plusieurs hommes, en raison de l'intervention de divers facteurs.

Ainsi grâce à ces données, à toute cette causalité, la connaissance trouve un lieu de recherche concret et matérialisé même par toutes ces lois scientifiques ou plus mystérieuses, cette extériorisation par rapport au reste qui fait que telle ou telle chose existe. Il n'en reste pas moins que cette connaissance n'est pas complète, que la chose résiste.

On peut en rager ou se féliciter d'un contact où la chose s'affirme par cette résistance même[35].

Dès lors, la chose a déjà fait un premier pas essentiel : se manifester ; mais en même temps, apparaît son insuffisance : il lui faut maintenant être considérée, pour que ses ef-forts soient pris en compte. Ce n'est plus du ressort de sa nature, mais de la quête d'autrui.

NOTES :
1. "La Crevette dans tous ses états" GRP, *p. 15 (*P, *p. 15).*
2. "Pochades en prose" GRM, *p. 50 (*M, *p. 52).*
3. La Rage de l'expression, *p. 202 (*TP, *p. 405).*
4. GRM, *p. 41-42 (*M, *p. 43) Sur la qualité différentielle cf. aussi "Entretien avec Breton et Reverdy",* GRM, *p. 296 (*M, *p. 304).*
5. Feuille manuscrite sur la thèse d'E. Walther (Fonds Doucet).
6. H. Maldiney : Le Legs des choses dans l'œuvre de Francis Ponge, *p. 46.*
7. "Les Berges de la Loire" La Rage de l'expression, *p. 9 (*TP, *p. 257).*
8. "Le Verre d'eau" in GRM, *p. 128 (*M, *p. 132).*
9. Claudel : "Connaissance du temps" in Oeuvre poétique, *p. 143-144.*
10. C'est le titre que Ponge donne à certains textes : cf. GRM, *p. 168 (*M, *p. 175).*
11. La Rage de l'expression, *p. 204 (*TP, *p. 407).*
12. "Notes prises pour un oiseau", RE, *p. 44 (*TP, *p. 283).*
13. "Notes prises pour un oiseau", RE, *p. 37-38 (*TP, *p. 278).*
14. "My Creativ Method" GRM, *p. 34 (*M, *p. 35).*
15. Manuscrit du fonds Doucet daté du 19 mai 1939.
16. CFPP, *p. 34.*
17. H. Maldiney : Le Legs des choses dans l'œuvre de Francis Ponge, *p. 52.*
18. "My Creative Method", GRM, *p. 18 (*M, *p. 18).*
19. "Cinq Septembre" in GRL, *p. 20 (*L, *p. 18).*
20. "Le Soleil placé en abîme" in GRP, *p. 188 (*P, *p. 165).*
21. "Le Peintre à l'étude" in TP, *p. 487 (*AC, *p. 54).*
22. "Comparer à la position du sujet dans le monde et dans la phrase ?) celle du foyer *en optique",* GRM, *p. 176 (*M, *p. 183) ; cité et commenté par J.-P. Richard :* Onze études sur la poésie moderne, *p. 174.*
23. "Braque, un méditatif à l'œuvre", AC, *p. 313.*
24. "La Pratique de la littérature" in GRM, *p. 286 (*M, *p. 292).*
25. Claudel : "Traité de la co-naissance" in Oeuvre poétique, *p. 154. Dans le passage qui précède, Claudel évoque l'importance du "foyer solaire".*
26. "Escargots" in PPC, *p. 51 (*TP, *p. 57).*
27. "Le Lézard" in GRP, *p. 94 (*P, *p.84).*
28. Cf. Cahiers critiques de la littérature *n° 2, p. 13.*
29. "My Creative Method" in GRM, *p. 25-26 (*M, *p. 26). On peut rapprocher le "confitéor / confiture" de* La Figue, CFPP, *p. 95.*

30. La Rage de l'expression, *p. 176-177 (*TP, *p. 386).*
31. Proêmes *in* TP, *p. 132 (*PPC, *p. 116).*
32. Cf. GRL, *p. 143 sqq (*L, *p. 72 sqq).*
33. "Pages bis" Proêmes *in* TP, *p. 225 (*PPC, *p. 199).*
34. "Texte sur l'électricité" in GRL, *p. 175-176 (*L, *p. 102).*
35. C'est de cette résistance dont il est question plusieurs fois dans CFPP.

3. La quête des choses

Le scepticisme sur les idées rendait nécessaire une compensation dans l'attitude du contemplateur, de l'artiste. Francis Ponge présente sa manière de rencontrer les choses et de les évoquer comme une recherche de simplicité, une attention stimulée par la sensibilité et l'intuition, un amour de la variété faisant profiter des richesses du relatif. Son art poétique est alors rattaché au parti pris des choses, attitude accessible et pourtant nouvelle pour connaître le monde et l'apprécier.

Simplicité et spontanéité

Il importe d'abord, selon Ponge, de ne pas imposer un comportement défini, qui risquerait de nuire à l'objectivité, mais de plus laisser agir les choses. L'auteur conseille donc un laisser-aller plus efficace que les efforts inopérants, il s'installe dans son fameux "trône de notre paresse"[1]. Cette paresse le conduit à différents refus : refus de s'installer professionnellement en s'assurant des examens pourtant accessibles, refus de se consacrer à fond à son activité littéraire (après le succès de *Douze Petits Ecrits,* les publications restent rares), refus de tout effort et préférence de l'otium au negotium :

> « Res urget me nulla ; meo sum pauper in aere. »[2]

Dans ces conditions, la seule position possible est celle d'un travail relâché :

> « Quand je travaille chez moi, je suis les pieds sur la table, il faut que je me mette dans la position du mauvais élève, et c'est pour écrire le contraire de ce que j'écrivais par devoir à l'école, que j'ai choisi de devenir écrivain. »[3]

Cette paresse a une première conséquence qui est la simplicité dans le choix des sujets, laquelle permet un regard plus détendu, plus disponible et souvent plus enrichissant par ce qu'il apporte d'inattendu. L'artiste se porte donc vers des objets ordinaires qui d'ailleurs se développent indépendamment des critères humains, et n'en sont pas moins privés de valeur :

> « N'importe quel objet ou motif. Parce que tout s'agence *sans nous* dans la nature. Et tout donc, et n'importe quoi nous intéresse, de ce point de vue. Nous choisirons même plutôt ce dont le caractère désuet, étranger, n'est pas particulièrement reconnu d'habitude. Tout ce que l'on a sordidement d'habitude le sentiment d'avoir annexé, conquis, domestiqué, surpris : les choses les plus "communes", les paysages les plus "simples". »[4]

Une telle prédilection peut paraître surprenante, d'autant que historiquement elle est périlleuse. En effet, l'ancienne poésie faisait alterner plutôt des sujets métaphysiques et sentimentaux, quand elle ne les mêlait pas. On y retrouvait essentiellement la marque du grandiose, du sublime, même dans des genres dits mineurs. De plus le lyrisme plus ou moins débordant était attendu dans tout poème digne de ce nom. Ponge rompt catégoriquement avec cette tradition, suivant d'ailleurs l'exemple de maîtres qui ont modifié la poésie de façon révolutionnaire, à savoir d'abord Rimbaud, mais surtout Lautréamont et Mallarmé. En effet, on voit apparaître une poésie plus méthodique, plus scientifique, plus directe, et même plus "active"[5]. Ponge montre dans "Le Murmure" combien on a longtemps été victime d'une dualité Idées-Sentiments, qui a fait de l'homme un aspirant à la domination du monde, alors que l'essentiel est d'en faire partie, de le voir "fonctionner", d'en apprécier la vie. Désormais idées et sentiments doivent s'*abolir.* « Le monde muet est notre seule patrie », il faut parvenir moins aux Charmes qu'à la Conviction. C'est là qu'il devient bon et nécessaire d'appliquer le "dispositif Maldoror-Poésies" :

> « Ainsi, supposons qu'après je ne sais quelle lecture il pleure dans votre cœur comme il pleut sur la ville, ou que vous vous sentiez, au contraire, enfiévré et abruti à la fois comme par un coup de soleil..
> « Ouvrez Lautréamont ! Et voilà toute la littérature retournée comme un parapluie ! »[6]

Un tel choix conduit aussi à beaucoup plus de réalisme en poésie, et à retenir des objets de réputation vile. Les artistes du début du siècle n'hésitent pourtant pas à s'intéresser à de l'ordinaire qui contient bien, sans doute, beaucoup d'extraordinaire. A l'instar d'Apollinaire, le poète se fait plus "brocanteur". Ponge va donc jusqu'à risquer de fonder son art "poétique" sur un choix périlleux, mais nécessaire :

> « Je ne choisis pas les sujets les plus faciles : voilà pourquoi je choisis le mimosa. Comme c'est un sujet très difficile, il faut donc que j'ouvre un cahier.
> « Tout d'abord, il faut noter que le mimosa ne m'inspire pas du tout. Seulement, j'ai une idée de lui au fond de moi qu'il faut que j'en sorte parce que je veux en tirer profit. (...)
> « Il faut donc que je remercie le mimosa. Et puisque j'écris, il serait inadmissible qu'il n'y ait pas de moi un écrit sur le mimosa. »[7]

Désormais, l'originalité ne vient plus seulement d'un monde particulier, mais d'une particularité qu'un instant privilégié a permis de découvrir. Il suffit alors d'un univers simple, celui qu'on côtoie tous les jours, et qu'on a pris l'habitude de mal considérer, ou même de ne pas regarder. Il s'agit d'en montrer la beauté, ou plus exactement de le "prendre en réparation" avec la dextérité et la précision d'un "horloger" :

> « Réparateur attentif du homard ou du citron, de la cruche ou du compotier, tel est bien l'artiste moderne. »[8]

Francis Ponge choisit donc les réalités les plus familières et pourtant méconnues, et parmi les objets "ceux qui constituent l'univers familier des hommes de notre société, à notre époque. »[9] De fait, si l'on recense les objets décrits dans *Le Parti pris des choses* ou dans *Pièces,* on retrouve les réalités les plus quotidiennes : d'une part, la nature offre des paysages variés, en raison même des divers lieux fréquentés par l'auteur, lesquels trouvent cependant des parentés avec ceux que nous avons pu visiter, et il s'y trouve des animaux chers à nos expériences ; d'autre part, on rencontre des objets d'intérieur meublant aussi bien la maison que la sensibilité, des objets communs et hétéroclites, parmi lesquels se trouvent quelques tableaux d'une rare valeur, bref toute la richesse d'un "verger" et d'un "mas" aux allures simples, mais possédant la beauté rare d'une "chapelle romane" de campagne[10]. Quoi de plus exaltant qu'un bois de pins, qu'un mimosa, qu'un pré ou qu'un appareil du téléphone, une valise, un édredon ? Et pourtant quoi de plus commun pour celui qui en fait son usage quotidien ? Cependant le banal peut prendre chez Ponge une place encore plus inattendue. Car il s'intéresse à ce qui a été méprisé, rejeté pour laideur ou grossièreté, et qui s'attache à nous en dépit de l'envie, la boue par exemple. Il n'y a donc rien de surprenant à constater que le texte qui ouvre les *Pièces* soit justement intitulé "L'Insignifiant". D'où cette proclamation inattendue qui n'est pas sans rappeler certains conseils de Flaubert à Maupassant :

> « Entreprenez de traiter de la façon la plus banale le plus commun des sujets : c'est alors que paraîtra votre génie. »[11]

A quoi se mêle un entêtement paradoxal pour s'accrocher à ce que chacun refuse ordinairement en matière de "qualités" :

> « Surtout les plus ténues, les moins habituellement proclamées, les plus honteuses (soit qu'elles apparaissent comme arbitraires, puériles, — ou qu'elles évoquent un ordre de relations habituellement interdit). »[12]

Ponge réhabilite donc le banal, car l'ordinaire dans sa simplicité conduit mieux à la découverte du caractère des choses ; l'effort n'est donc plus dans l'appréciation de la complexité ou dans la rencontre de l'insolite, ce qui était le propre des surréalistes, mais dans la précision d'une relation immédiate avec la réalité courante :

> « Puisqu'il faut bien nous rendre à l'évidence (et toi, lecteur, en prendre ton parti) : c'est à propos des objets de réputation les plus simples, les moins importants, voire les plus dérisoires, que le jeu de notre esprit s'exerce le plus favorablement, parce qu'alors et alors seulement il lui paraît possible de faire valoir ses opinions particulières dans leur forme particulière. » (*S*, p. 68.)

Et c'est les objets que nous fréquentons sans cesse qui, consciemment ou pas, nous sont les plus chers, comme si se créait une osmose, un échange, les objets allant jusqu'à nous apporter un enseignement profitable :

> « Comme représentatifs de notre monde, de notre bas-monde, et de nous-mêmes, comme notre imprégnation, notre matériel, et peut-être, comme notre portrait familier ? » (*S*, p. 71.)

Et pour Ponge, ce que l'on doit d'abord décrire, ce sont des choses qui participent davantage à notre existence, à notre raison de vivre. Dès lors, selon une esthétique qui n'est pas sans rappeler des peintres du début du siècle, tout peut devenir objet d'art : la lessiveuse, la pompe, la boue, le crottin... Contrairement à ce que l'on pense, on montre par là "un rien qui n'est pas rien"[13]. C'est par quoi Ponge est fidèle à une doctrine ancienne chère à Horace, laquelle donnait à réfléchir en proclamant :

> « Hae nugae seria ducent. » (*CFPP*, p. 100.)

A cette simplicité s'ajoute naturellement une spontanéité de l'artiste qui repose sur une grande disponibilité. Il s'agit donc de retrouver une certaine naïveté en faisant abstraction des idées et de la pensée, pour parvenir à un "mouvement spontané de l'esprit"[14] qui sera capable ensuite de récupérer, par sa vérité, certains lieux communs. Cette attitude est nécessaire à l'égard des objets, auxquels rien ne doit être imposé, ni dans le choix, ni dans l'appréciation des qualités :

> « Vraiment, il s'agit d'une entreprise conçue tout à fait à la légère, sans aucune intention profonde et même, à vrai dire, sans le moindre sérieux.
> « Je n'ai jamais rien dit que ce qui me passait par la tête au moment où je le disais à propos d'objets tout à fait quelconques, choisis parfaitement au hasard. »[15]

Mais pour l'écriture aussi, il existe une spontanéité, du moins dans un premier temps, puisque par la suite Ponge s'assure de la convenance des mots. Le fait de n'avoir que vingt minutes par jour fait bien comprendre l'obligation d'une simple rédaction, ce qui conduit Ponge à ce qu'il appelle ses "notes", et qui deviendra la matière du texte :

> « Il me suffit de ne pas trop me tracasser à son sujet. Il me faut surtout (plutôt) ne pas trop en écrire, très peu chaque jour, et plutôt comme ça me vient, sans fatigue, va-comme-je-te-pousse. »[16]

A ceux qui douteraient des possibilités d'une telle démarche, il suffirait de rappeler la leçon de l'eucalyptus :

> « L'Eucalyptus ne souhaiterait certainement pas qu'on se fatigue beaucoup à sa description.

> « Le ton de la lassitude, du désenchantement lui convient.
> « Un certain air “Va comme je te pousse”, mais “Grande force ascensionnelle” cependant. »[17]

Une telle spontaniété n'est pas sans rappeler deux tendances de la recherche artistique au XXe siècle : les surréalistes d'abord dont l'automatisme psychique ne peut se concevoir sans une indépendance plus réceptive au hasard. Mais la désinvolture de Ponge n'est pas celle qui se laisse mener par les surprises de l'inconscient ; elle reste fidèle à une “évidence” immédiatement perçue, et dont la force apporte un inattendu, une étrangeté[18]. En outre, on ne peut parler de spontanéité sans penser à Proust, qui y voyait la seule chance d'une mémoire authentique. Ponge suit également, pour sa connaissance du monde, ce comportement désinvolte et naturel qui fuit l'effort et la concentration intellectuels, et apporte plus de joie à l'esprit. Mais plus encore, il va jusqu'à conseiller une certaine indifférence qui concerne les objets traités :

> « Je choisis comme sujets non des sentiments ou des aventures humaines mais des objets les plus indifférents possible. »[19]

Mais, rappelant certains conseils de Breton, cette indifférence concerne l'ensemble de la création artistique, et désigne en quelque sorte la polyvalence thématique ou sémantique s'établissant entre les mots et les choses, ne pouvant désigner évidemment une indifférence à l'égard du monde[20] :

> « Lorsque nous en sommes au moment où les mots et les idées sont dans une espèce d'état d'indifférence, tout vient à la fois comme symbole, comme vérité, cela veut dire tout ce que l'on veut, c'est à ce moment-là que la vérité jouit. »[21]

Et cette indifférence unique, celle que Ponge trouve à la fin de “L'Oeillet”, c'est cet au-delà qui n'est réservé qu'à certains moments et qu'à certains artistes :

> « Pourtant, chez quelques-uns seulement parmi les plus grands artistes, un pas de plus est fait.
> *L'indifférence* est atteinte.
> Par un certain adoucissement, ou gommage de la hiératisation. »[22]

Là est donc l'art, dans cette vérité mystérieuse mais tangible à travers sa résistance, complexe mais complète, véritable graal garanti au fidèle et attesté par l'apparition d'une parfaite "indifférence", d'une harmonie conquise sur le trône de la Paresse[23].

Sensibilité et intuition

C'est justement Proust qui a montré que la spontanéité n'avait de valeur que dans la mesure où elle témoignait d'une exceptionnelle sensibilité. F. Ponge lui aussi n'a cessé de montrer sa nécessité et sa fonction dans la création artistique. Il la considère comme une réaction qui varie selon les caractères et les époques :

> « Que cette sensibilité s'exprime par la révolte, comme ça a été le cas pour ma génération (vous savez, à peu près la génération surréaliste) ou que cette sensibilité s'exprime par l'extase, le ravissement... En tout cas, il faut une sensibilité. »[24]

Et bien entendu, elle varie selon les circonstances, selon les individus, certains n'étant jamais "atteints" car non réceptifs, d'autres étant des privilégiés, les poètes par exemple, puisque "la poésie est évidemment le résultat d'une sensibilité"[25]. Plus précisément, cette sensibilité est la faculté de saisir, en des moments uniques, un appel des choses et du monde, et de voir dans cet appel la présence du caractère intrinsèque, de la "qualité différentielle" de l'objet. Comme pour Proust, c'est ce premier moment qui compte, quitte ensuite à retourner à ce qui a été ressenti. Ainsi du galet :

« Le galet, puisque je le conçois comme objet unique, me fait éprouver un sentiment particulier, ou peut-être plutôt un complexe de sentiments particuliers. Il s'agit d'abord de s'en rendre compte. »[26]

Mais on doit d'abord remarquer qu'il existe deux sensibilités, qui d'ailleurs se rejoignent, dans la mesure où chacune de son côté s'intéresse à la matière concrète : c'est "la sensibilité au monde" et "la sensibilité à son moyen d'expression"[27]. De la seconde, nous aurons bien à dire ; mais pour ce qui est de la sensibilité au monde extérieur, F. Ponge a été plus explicite à propos de Malherbe à l'instar duquel il fait une triple distinction :

« I Sensibilité aux objets : aux couleurs, au formes.
II Sensibilité aux sentiments. Violence et nuances.
III Sensibilité aux personnes. »[28]

Des trois c'est certainement la première qui est la moins courante et la plus difficile ; en effet, elle risque d'être victime du sentiment, de n'être qu'objet de référence et non objet de discours. C'est un peu le tort des Romantiques, et l'on comprend le malheur de Jeanne, l'héroïne de Maupassant, qui n'appréciait les objets qu'en fonction de ses sentiments d'amour, de joie, de désespoir et de désillusion, et qui le moment venu s'en sépare sans en garder l'essentiel ; à l'inverse de Proust, pour qui un objet permet de "retrouver" un monde, grâce à une sensation qui en fixe l'éternité, à l'inverse de Ponge pour qui, comme pour Proust, l'objet écrit par l'homme doit remplacer l'objet disparu :

« A la Recherche du Savon perdu... » (*S*, p. 71.)

Une sensibilité particulière suppose naturellement une disponibilité particulière qui permettra de sentir les sollicitations des choses à tout moment, et parfois dans des circonstances surprenantes, mais propices à une échappatoire :

« La façon dont la serviette-éponge se réarrangea sur son support me parut beaucoup plus intéressante que le Marché commun.

« Plus rassurante aussi (et bouleversante, d'ailleurs) me parut cette serviette-éponge. Et, pendant le dîner, je fus ainsi sollicité plusieurs fois. »[29]

Cette disponibilité, qui rappelle tout à fait un coup de foudre dans l'exemple précédent, permet d'atteindre une familiarité d'une richesse exceptionnelle par les échanges qui s'y montrent, où l'attention aux choses devient attentions mutuelles :

« Au mois d'août 1940, je suis entré dans la familiarité des bois de pins. A cette époque, ces sortes particulières de hangars, de préaux, de halles naturelles ont acquis leur chance de sortir du monde muet, de la mort, de la non-remarque, pour entrer dans celui de la parole, de l'utilisation par l'homme à ses fins morales, enfin dans le Logos, ou, si l'on préfère et pour parler par analogie, dans le Royaume de Dieu. »[30]

Citation qui à elle seule justifierait toutes les raisons d'écrire. En effet, on y trouve une nouvelle et bien belle définition de la sensibilité : c'est la chance donnée aux choses d'exister. Il y a là ce que l'on peut appeler un véritable amour, auquel l'auteur donne tout ce qu'il a, qui mérite qu'on en parle au même titre que bien des amours. Dans *Le Volet,* Ponge montre le côté unique de sa liaison avec l'objet, et insiste sur la transformation, la *récréation* qu'apporte cette rencontre intense :

« Mais voici qu'aujourd'hui — et rendez-vous compte de ce qu'est aujourd'hui dans un texte de Francis Ponge — voici donc qu'aujourd'hui, pour l'éternité, aujourd'hui dans l'éternité le volet aura grincé, aura crié, pesé, tourné sur ses gonds, avant d'être impatiemment rabattu contre cette page blanche.

« Il aura suffi d'y penser ; ou plus tôt encore, de l'écrire. »[31]

Le lyrisme profond dont fait preuve ici Francis Ponge montre bien comment, à l'instar de Proust, les choses ont enfin été arrachées au Paradis perdu, auquel elles risquaient d'être condamnées pour l'Eternité, pour paraître enfin de la seule façon convenable sur la page blanche, et être "rejetées" au "Paradis de l'existence"[32].

Mais on ne peut parler de sensibilité sans évoquer le problème de l'inspiration. D'après ce qui précède, on voit assez quelle peut être la position de Francis Ponge : disponibilité, attention et amour sont requis ; cependant, il reste à préciser l'opinion de l'écrivain sur l'émotion et l'intuition.

Sur ces deux points, l'auteur s'est nettement prononcé dans ses différents textes, et presque toujours dans les mêmes termes. La première remarque fondamentale, c'est que « tout commence par une émotion »[33]. Terme ambigu, si l'on en croit certains exégètes, et que Ponge rattache à la sensibilité. Il en précise la nature en en montrant la force (c'est un peu la fameuse "commotion" de René Char) :

> « Le choc, la surprise et l'amour, le désir. »[34]

C'est ce qu'il appelle par ailleurs la "pulsion première"[35]. En fait, cette émotion est née d'une "rencontre"[36] particulière avec les choses, et il faut insister sur la beauté, le côté unique et exceptionnel de cette rencontre, qui est la *première* dans l'éternité, et donc la source (possible) de toute la création future. Désormais, la tâche est nette :

> « Les textes à mon avis les plus authentiques, c'est ceux qui vont à la rencontre de la première rencontre, c'est-à-dire du choc émotionnel provoqué par la première rencontre. »[37]

Dans "Matière et Mémoire", il est ainsi question de la trace indélébile que l'artiste inscrit sur la pierre au tout début de sa recherche lithographique ; la rencontre agit tout pareillement, et dans une démarche toute proustienne, c'est elle qu'il faudra retrouver, avec ses richesses et ses précisions, et avouer sans tricher. Parfois plusieurs émotions viennent se lier, mais leur particularité reste définitivement appréhendée et donc inoubliable. Ainsi de la chèvre :

> « Mais à propos de *La Chèvre*, par exemple, je sais parfaitement, exactement, je peux, je pourrais décrire exactement, et dater les chèvres successives que j'ai rencontrées (...) je sais exactement en quel lieu, quelles sont les chèvres, j'ai ça parce que j'ai été saisi par cela, vous comprenez, je pourrais le décrire, je pourrais en faire un tableau si j'étais peintre, je pourrais décrire ça, exactement le lieu, l'endroit, etc. »[38]

Ainsi les différents chocs créent des impressions, dans tous les sens du terme, lesquelles s'accumulent en forces ou se déposent en strates dont il faudra recueillir l'essence fondamentale :

> « C'est-à-dire que la sédimentation des impressions produit une certaine notion globale qu'il s'agit pour moi de rendre, d'exprimer, dont il faut que je rende compte. » (Id., p. 13.)

Cette notion globale, on voit dans de nombreux textes comment Ponge s'efforce petit à petit de la faire ressurgir. C'est particulièrement net dans *La Rage de l'expression,* d'autant que cet ouvrage fait état des diverses recherches sur un sujet. Par exemple, avec l'oiseau, Ponge s'efforce de découvrir le "nœud" à travers toutes ses impressions, et finit par retenir des caractéristiques majeures :

> « Deux choses : le petit sac de plumes et le foudroyant départ capricieux en vol (l'étonnant départ en vol). »[39] Mais aussi : « L'oiseau grince et crisse, vrille et trille, comme ces robinets de bois qu'on adapte aux douves. »[40]

C'est aussi le cas du cheval pour lequel on ne saurait négliger des traits essentiels, à savoir « ce côté impatience, ce côté fougueux »[41]. Le texte peut, s'il arrive à se conformer à l'impression première, dans un moment privilégié où l'on est en "humeur", devenir ce que Ponge appelle une "eugénie", terme qu'il préfère à celui d'inspiration, sans doute à cause du "génie" et surtout du préfixe "eu-" qui exprime le plaisir de la création. C'est justement à propos du cheval qu'il en donne la définition :

> « Une chose venue presque complètement dans le moment ; c'est-à-dire que je me suis trouvé en humeur, une bonne fois, de dire ce que depuis toujours m'évoquait le cheval. »[42]

A partir de là, l'émotion fait place au goût, et Ponge se montre plus classique qu'un Diderot attiré par les souffles du "génie". Car pour Ponge, ce goût, qui est un attachement à certaines valeurs, restreint l'impétuosité de la sensibilité, et pratiquement, on peut le définir comme le sentiment d'une convenance du Logos aux impressions premières :

> « C'est-à-dire qu'*étant donné ce qui est à dire* (à faire entendre, à communiquer), *l'écrivain refusera de le dire autrement que d'une certaine façon* (selon telle allure, tel timbre, etc.) *qui est justement celle qui lui impose son goût, celui de ses sens.* »[43]

En sorte qu'il n'est pas une préférence positive pour tel ou tel élément, mais au contraire négatif. Le goût, c'est l'art de progresser dans les refus :

> « Le goût refuse plutôt qu'il ne cherche ou choisit. »[44]

Autrement dit, l'auteur affirme avec force la nécessité pour l'écriture d'une "fidélité" à l'émotion première, d'une "honnêteté" avec tout ce qui la compose, et c'est là une exigence sans la moindre compromission, car Ponge y place le fondement de l'œuvre et le devoir essentiel de l'artiste, qui trouvera dans le mot juste la récompense à tant d'efforts :

> « Je préfère crever que d'employer certaines expressions quand j'écris, par exemple, que de laisser passer un mot qui n'est pas exactement dans la palette de ce qui m'est imposé par mon goût profond, à propos d'un objet, d'une personne, d'un écrivain, d'un peintre. (...) »[45]

On retrouve alors la distinction classique entre l'inspiration première et le travail de mise en œuvre, dont Valéry s'est fait le porte-parole. Il y a grande difficulté, malgré la pénétration qui habite un artiste possédé de son message, à trouver l'expression juste. On retrouve le débat sur la propriété des termes que Ponge formule ainsi :

> « Nous nous en tenons à nos désirs successifs, nés d'émotions très fortes, sans doute, nées elles-mêmes d'une rencontre le plus souvent. Mais ce désir d'expression selon notre vision de l'objet (être ou chose) est aussitôt traversé par les commandements ou les caprices de notre moyen lui-même : dessin, peinture, écriture. »[46]

Mais Ponge ne se lamente pas sur cette difficulté ; au contraire elle atteste pour lui le bien-fondé de son travail et la nécessité de continuer. Là où d'autres voient l'influence des impératifs de l'écriture, il préfère voir l'influence de la "rage de l'expression", c'est-à-dire que le texte naît de cette conviction intime et de cette perpétuelle asymptote du mot à l'objet :

> « Ce sont tout à la fois la *violence du désir* et la *hauteur* (l'éloignement extraordinaire, l'altitude *impossible) de l'objet* qui maintiennent la parole en *forme.* Beaucoup plus encore que les contraintes techniques (voilà où je ne suis pas tout à fait d'accord avec Valéry et la théorie classiciste traditionnelle. » (*PM*, p. 181.)

De cela Ponge ne pouvait que se féliciter, quand il le rencontrait chez d'autres ; il le fait plaisamment à propos de Denis Roche dont les nom et prénom deviennent un petit art poétique : pas de flot dionysiaque (voilà pour Denis) sans quelque frein, quelque caillou (Roche) :

> « Pas de véhémence qui ne véhicule les obstacles qui la provoquèrent et l'entretiennent.
> Pas de torrent ravageur sans cailloux dans la bouche.
> On ne monte pas au ciel sinon par les barreaux d'une échelle.
> Tout a lieu en lieu obscène. »[47]

C'est donc rappeler élégamment la traditionnelle "opposition" entre l'intuition et les règles, et critiquer Valéry qui accorde trop aux dernières :

> « La violence même de nos intuitions nous maintient en forme. *Non les règles.* » (*PM*, p. 181.)

C'est alors qu'apparaît une fausse antinomie que Ponge s'efforce de dénoncer : l'esprit est divisé "en raison et en intuition"[48], ce qui n'est qu'une adaptation de l'ancienne opposition latine entre l'*ingenium* et le *judicium.* Or, c'est dès le départ que toutes deux sont mêlées, la raison s'efforçant de dompter les sentiments :

> « La maîtrise des passions donne en poésie la maîtrise de l'inspiration (*ingenium* soumis au *judicium*).
> L'usage des règles (beaux préceptes) doit même être opposé à l'inspiration *dès l'origine.* » (*PM*, p. 165.)

Et il en est de même par la suite, puisque le temps fait son œuvre et "amortit les élans", sans pourtant faire perdre le choc initial. Dès lors, une poétique d'allure simple peut être établie : l'artiste doit, pour exprimer les choses, faire préalablement et constamment confiance à trois éléments conjoints :

> « à son œil, à sa raison et à son intuition. »[49]

Ponge rappelle à ce propos l'expérience enrichissante de Flaubert et sa déclaration sur le "ton jaune" de *Madame Bovary,* preuve manifeste d'une impression première tout à fait précise mais bien difficile à formuler en roman, d'une intuition qu'il faut à tout prix préserver :

> « Le comportement de Flaubert est sans conteste celui d'un *artiste,* c'est-à-dire quelqu'un dont les intuitions dominent l'intellect, quelqu'un pour qui tout commence par une sensation, par une émotion. » (*PM*, p. 246.)

Il faut pourtant se rendre à la raison et reconnaître l'impossibilité d'une intuition totalement indépendante de la formation culturelle, autrement dit la nécessaire intertextualité. A la suite d'E. de Kermadec, F. Ponge doit s'en tenir à des éléments préétablis et donc reconnaître :

> « que nous ne sommes pas aujourd'hui des "primitifs", que si l'artiste est quelqu'un chez qui les intuitions dominent l'intellect, si l'exécution chez lui chevauche la conception — ou plutôt si exécution et conception se chevauchent si étroitement, si *bien,* que la Beauté adolescente — *ravie* alors, saute en croupe — néanmoins, nos intuitions elles-mêmes sont cultivées, qu'"écriture automatique" ou "art brut" sont d'incroyables naïvetés. » (*AC*, p. 322.)

Les surréalistes ne s'y sont d'ailleurs pas trompés, qui, lors de leurs manifestes ont montré la part intellectuelle de leurs écrits, prouvant ainsi que surréalisme et surréalistes sont le plus souvent deux notions différentes.

Ainsi se définit la précieuse sensibilité faite d'émotions que l'intuition permet de sauvegarder, et les "règles" qui sont là pour rappeler les exigences des refus indispensables. Mais affirmer une « sédimentation des impressions », c'est déjà supposer une variété qu'il convient maintenant de préciser.

La variété

On ne peut donc dire qu'il y ait une seule "méthode" pour aborder les choses ; non seulement celles-ci ont des différences essentielles, mais pour en comprendre une seule, il y a le plus souvent diverses impressions, différentes attitudes et par conséquent diverses façons de les évoquer. On pourrait croire que plus le monde est varié, plus on a de chances de s'y perdre. Ponge en fait pourtant un des principes de sa poétique, dans la mesure où la variété fait apparaître les différences, et ainsi progresser la connaissance du caractère des choses :

> « *La variété des choses est en réalité ce qui me construit.* Voici ce que je veux dire : leur variété me construit, me permettrait d'exister dans le silence même. »[50]

Ainsi Ponge s'affirme d'abord comme un disciple d'Epicure et des anciens philosophes (d'ailleurs le plus souvent poètes), qui s'efforçaient d'établir les principes déterminant la nature des choses ; par conséquent, il aimerait être l'émule de Lucrèce :

> « Ainsi donc, si ridiculement prétentieux qu'il puisse paraître, voici quel est à peu près mon dessein : je voudrais écrire une sorte de *De natura rerum.* On voit bien la différence avec les poètes contemporains : ce ne sont pas des poèmes que je veux composer, mais une seule cosmogonie. »[51]

Toutefois, il s'agira de découvrir l'individualité de chaque objet dans l'univers, ce qui conduira une fois de plus à une vision relative et non absolue ; car nous l'avons vu, trouver le caractère, c'est évaluer les différences ; par conséquent, Ponge mise sur la variété qui d'abord enlève le côté définitif, voire tragique de toute vision, et ensuite persuade le contemplateur d'une entité et existence particulières. Ainsi variété s'associe aussi bien au relativisme qu'à l'idée d'un transformisme permanent, les deux attestant le fonctionnement du monde. Ponge peut répondre à Camus :

> « Scruter les objets en permet bien d'autres.
> "Nostalgie de l'Unité", dites-vous...

— Non : de la variété. »[52]

Camus avait donc tort de s'arrêter à l'absurde du monde ; Ponge, nous l'avons vu, préfère se heurter aux leçons mystérieuses et multiples de l'in-fini, lesquelles sont rassemblées dans un objet, tant il est vrai qu'il représente la variété même :

> « L'objet, dites-vous encore, est l'imagerie dernière du monde absurde... Mais il ne figure pas seulement certains sentiments ou certaines attitudes. Il les figure toutes : un nombre immensément varié, une variété infinie de qualités et de sentiments possibles.
> « ("*De varietate rerum*" : G. me disait que j'aurais pu ainsi intituler mon livre mieux que *De natura* seulement.) » (Id.)

Et même Ponge ne risque rien, puisqu'il évite de "se perdre", d'être annihilé par la considération d'un seul objet, tout simplement parce qu'il dispose d'un pouvoir de changement : il peut à son gré, et grâce à la variété des choses ou des attitudes, passer brusquement d'un sujet à l'autre, trouvant par cette volte-face subite une nouveauté propice à sa création :

> « Et à Georges Bataille me demandant si j'avais touché à l'insecte, et si je n'avais pas peur d'y devenir fou, j'ai répondu que j'avais plusieurs insectes en préparation, retournés contre le mur, comme les peintres ont des tableaux qu'ils commencent, puis qu'ils retournent, qu'ils reprennent, etc., et qu'il me suffirait de passer au moment voulu, au *dernier moment* voulu peut-être, de la guêpe à l'araignée par exemple, pour être sûr de ne pas m'y perdre. »[53]

Mais un seul objet peut suffire, car il fournit plusieurs acceptions, plusieurs versions, comme c'est justement le cas de l'araignée, présentée dans deux textes différents ("L'Araignée" et "La Nouvelle Araignée"). Ponge a d'ailleurs déclaré plusieurs fois que les textes du *Parti pris des choses* ou de *Pièces* n'étaient pas les seules factures possibles d'un être ou d'un objet. Autrement dit tout varie en fonction du temps et de l'espace ambiant, mais aussi du regard de l'homme à qui il faut parfois rappeler ses possibilités :

> « Une fois, si les objets perdent pour vous leur goût, observez alors, de parti pris, les insidieuses modifications apportées à leur surface par les sensationnels événements de la lumière et du vent selon la fuite des nuages, selon que tel ou tel groupe des ampoules du jour s'éteint ou s'allume, ces continuels frémissements de nappes, ces vibrations, ces buées, ces haleines, ces jeux de souffles, de pets légers. »[54]

Voilà qui explique la multiplicité des paragraphes, les reprises du même sujet, qui désemparent le lecteur superficiel et agacent certains critiques. Le fait de ne travailler que vingt-cinq minutes par jour explique peut-être l'allure décousue des textes ; mais la connaissance et la conscience de l'instabilité et de la variété infinie des choses ont conduit à une écriture du même style, qui s'efforce par ses infinies possibilités de traduire cette mobilité ; car il y a variété aussi dans cet "autre monde".

> « Qui, lui aussi, est pour moi une raison d'être et dont la variété me construit (me construit comme *amateur*) (amateur de poèmes). »[55]

Ainsi de nombreux textes présentent les diverses découvertes de l'auteur, ses "randons"[56] ; la publication des manuscrits, des "fabriques" fait bien apparaître les diverses réflexions de l'observateur et de l'écrivain. On a ces derniers temps privilégié *La Figue,* où l'on découvre bien la continuité de la volonté expressive, la recherche de qualités particulières à travers des versions où la moindre modification paraît de grande valeur, quand on sait à quelles exigences l'auteur s'astreint en matière de fidélité aux choses et à l'impression première. Mais *La Fabrique du pré, Le Savon, La Rage de l'expression* montrent aussi les virements et les revirements de la création artistique, comme si l'auteur "rageait" à chaque fois de ne réaliser que des approximations de son objet, mais se persuadait aussi de son existence unique. D'où la confection de "carnets" comme celui du bois de pins, de "notes", et la présentation de tous les "états" dans lesquels se met la crevette, mais aussi, bien sûr, l'écrivain. On a pourtant tort de se limiter aux textes qui laissent voir une telle composition ; car on retrouve dans les écrits dits clos les mêmes aspects : dans *Pièces,* cela apparaît avec "Le Soleil", surtout si l'on se reporte au manuscrit, avec "Le Téléphone" qui comprend deux versions, dans le *Parti pris,* si l'on regarde des morceaux comme "Faune et flore" et, comme Ponge l'a fait lui-même remarquer, on trouve dans un texte la répétition de mêmes syllabes, voire de mêmes lettres, comme si l'on suivait les diverses ébauches d'un peintre en quête du tracé idéal, les différentes "sédimentations" de l'artiste. Mais il nous semble que l'on trouve aussi ce besoin des redites dans les nombreux passages de Ponge consacrés aux critiques esthétiques ; là également, chaque élaboration se fait à partir d'une impression principale souvent liée par jeu au nom de l'artiste ou au titre de l'œuvre, et qui se précise au gré des répétitions. De nombreux textes de *Lyres* et aussi la "Note sur les *Otages"* de Fautrier, qui attirent moins la critique, montrent pourtant bien aussi des reprises, ce que Ponge appelle "grêle de coups désordonnés"[57], laquelle s'explique par "l'atrocité" du sujet. C'est que d'une certaine façon, chaque œuvre artistique mérite des "randons" comme les objets, car elle se présente d'abord comme objet. Plus encore, il nous apparaît capital que Ponge, dans ses différents entretiens, ses différentes "explications" de lui-même, tienne absolument à se citer, à se répéter, comme pour circonscrire et compléter, sans critiquer, sa propre connaissance ; nombreux en effet sont les passages où il s'attache à proclamer : "Je l'ai déjà dit dans tel texte." Ces récapitulations permettent de mieux ressentir les addenda et corrigenda, et font penser à un exécutant à la recherche d'un air connu, qui doit reprendre plusieurs fois le même passage, pour enfin retrouver soudainement et avec joie la musique qui lui échappait, comme Swann savourant la petite phrase de Vinteuil.

Et peut-être ce besoin musical explique-t-il que ces variétés soient plutôt des variations, nécessaires à toute construction écrite, variations d'une œuvre artistique, d'un *poème* symphonique ou d'une fugue rappelant J.-S. Bach :

> « Vous serez étonnés, peut-être — car ce n'est pas très habituel en matière littéraire — des fréquentes, des fastidieuses répétitions que comporte le présent texte.
> « Très souvent vous remarquerez : "Mais il se répète ! Mais j'ai déjà entendu cela, il y a à peine quelques minutes !"
> « Et bien ! dois-je m'en excuser ? Non, je n'aime pas beaucoup m'excuser, et puis, après tout, ces façons, ces manières que vous admettez fort bien, n'est-ce-pas, en matière de musique : ces répétitions, ces reprises *da capo,* ces variations sur un même thème, ces compositions en forme de fugue que vous admettez fort bien en musique, que vous admettez, et dont vous jouissez — pourquoi nous seraient-elles, en matière de littérature, interdites ? » (*S*, pp. 12 et 13.)

On peut aussi parler de variantes, et le *Carnet du bois de pins* en donne le meilleur exemple, puisqu'il fournit à la fin un tableau de tous les "arrangements" possibles[58]. Ponge se limite parfois à quelques-unes, souvent malicieuses, qu'il note expressément, par exemple dans "L'Araignée". Le manuscrit de *La Figue* montre bien ce jeu de variations et variantes. Dans "Le Verre d'eau", riche aussi en reprises, il est question d'"errement dû à la geste"[59], terme qui associe la façon à l'exploit, et rappelle des textes à répétitions, comme *La Chanson de Roland ;* or dans toute chanson, comme dans tout morceau, on s'attache à un "mouvement" ; Ponge précise :

> « En noter le rythme, ou plutôt l'allure, la cadence. »[60]

Il fait même allusion à des "exercices", comme si l'écrivain dans son texte devait faire ses gammes :

> « Un peu comme certains musiciens (il en est parmi les plus grands) ont écrit des exercices : Clavecins bien tempérés, Gradus ad Parnassum. »[61]

Mais on trouve aussi les variations en peinture ; Ponge admire ainsi Braque (ses *Oiseaux* par exemple), et il en tire une leçon profitable pour sa poétique (c'est la beauté de la Symphonie inachevée, celle de l'Adoration des mages de Léonard de Vinci) :

> « Cet auteur est, comme on verra, justement passionné par les *variations.* Quoi de plus passionnant, en effet, et par ailleurs, quoi de plus sage !
> Bien sûr que, d'aucun sujet, aucune expression définitive n'est possible ! Telle est à la fois la générosité-de-création du génie, et sa modestie particulière. »[62]

La variété rend compte aussi des différentes formes que l'auteur donne à ses œuvres ; ainsi *Le Grand Recueil* comprend trois parties distinctes : *Lyres, Méthodes* et *Pièces,* que Denis Hollier a analysées non sans suggérer des échanges et des formes communes entre les trois[63]. Francis Ponge a lui même opposé les "bombes" du *Parti pris* à "l'espèce de journal"[64] que forme *La Rage de l'expression,* même si par ailleurs il a souligné les nombreux points identiques. Il s'en explique ainsi :

> « C'est d'abord parce que j'en ai eu assez de faire toujours la même chose, que je m'ennuie vite, et que ce n'est pas parce *Le Parti pris des choses* a connu

> un certain succès que j'ai voulu m'enfermer là-dedans. Ce qui importe, c'est de changer, c'est de me changer. » (*EPS*, p. 120.)

Ainsi toute étude partielle de Ponge risque de n'éclairer que certains aspects, et de donner qu'une vision tronquée, comme l'a montré l'histoire de la critique sur ses écrits : après avoir surtout découvert sa pensée "philosophique", on s'est plus intéressé à son écriture, pour finir par découvrir que les deux étaient liés. On a délaissé à tort le Ponge critique d'art, constamment à la recherche d'une poétique. Et l'écrivain Francis Ponge est à regarder comme il regarde lui-même les choses, c'est-à-dire en respectant ses variations ; car là aussi il n'est pas de moi absolu, mais seulement relatif et évolutif, ou si l'on préfère, c'est un *nous* :

> « Ce *nous,* l'a-t-on compris, prononcé sans emphase, figure simplement la collection des phases et positions successives du *je.*[65]

Et Ponge est une fois de plus semblable à ce qu'il écrit, il se définit à travers ce qu'il critique ; il décrit tel ou tel écrivain ou artiste parce qu'il se reconnaît lui-même. C'est ainsi que le portrait de Kermadec s'applique bien à lui :

> « Kermadec, singulier et pluriel de sa nature, livre ses cheminements émotionnels successifs, superpose sans en rien cacher ses états esthétiques provisoires, transitoires, momentanés, les laissant se chevaucher sans se confondre, transparaître les uns sous les autres grâce à la fluidité de ses couleurs. »[66]

Il y a pourtant un danger dans cette continuelle variété, même si Fénelon rapporte d'Auguste qu'il préférait les répétitions à l'obscurité[67]... C'est la "compilation" dont Ponge craint l'excès, tout en reconnaissant que dans ce pourrissement des remarques peut naître un germe, qu'à force de contourner la vérité, il finira bien par la trouver au fond du puits. On peut aussi penser que la relativité des affirmations et de l'analyse trouve un écho dans la variété des attitudes du lecteur, qui lui aussi ne saurait être un. Car qui peut se vanter d'avoir fini de découvrir les richesses d'une œuvre, du moins d'une œuvre d'art ? C'est la traditionnelle pérennité de l'art :

> « Beaucoup de peintures, à la longue, semblent s'éteindre. Celles-ci, douées d'une vie indépendante et d'une éternelle fraîcheur, si parfois pourtant, elles nous paraissent avoir changé, c'est *en bien,* du fait qu'à chaque nouvelle relecture, y éprouvant d'heureuses surprises, celles-ci répondent étonnamment à notre propre changement.
> « Tel est bien le critère selon lequel juger, *par expérience,* de la supériorité de certains ouvrages, capables de satisfaire plusieurs générations de goûts différents, voire (comme il advient généralement) contradictoires. » (*AC*, pp. 347-348.)

Ainsi, à travers la variété, s'exprime un des principes fondamentaux de la découverte des choses ; car les différentes approches de l'objet font apparaître, à travers l'accumulation des textes, la résistance et l'existence des choses, à quoi va succéder la résistance du livre qui est :

> « une stèle, un monument, un roc, dans la mesure où il *s'oppose* aux pensées et à l'esprit, où il est conçu pour s'y opposer, pour y résister, pour leur servir de parapet, de voile, de pantagnère, enfin de point d'appui. » (*TP*, p. 531.)

Le Parti pris des choses et la co-naissance

Mais encore faut-il un minimum de considération pour les choses, pour avoir conscience de leur existence et de la possibilité d'un attachement à elles. Il faut savoir se "plonger dans le parti-pris des choses". F. Ponge a plusieurs fois précisé ce qu'il entendait par là, notamment dans les conférences recueillies dans *Méthodes*. Il a insisté sur le terrible silence auquel l'homme réduit toute chose pourtant déjà muette par elle-même, sur "l'absurde de l'expression" qui fait apparaître un gouffre quand il faut dire les choses, et qui oblige par compensation à s'attacher plutôt à un caillou qu'à une pensée métaphysique ; car on peut, faute de mieux, "par le moyen de l'art, refermer un caillou"[68]. Autrement dit, il s'agit d'invoquer les choses, d'ouvrir une "trappe" permettant de découvrir un infini à contempler, et de combler, en retournant des quantités (ou plutôt des qualités) de choses, la béance entrevue par la trappe :

> « Je propose à chacun l'ouverture de trappes intérieures, un voyage dans l'épaisseur des choses, une invasion de qualités, une révolution ou une subversion comparable à celle qu'opère la charrue ou la pelle (...). »[69]

Il y a donc toute une nouvelle façon de s'intéresser aux "espaces infinis", aux divers éléments qui les composent, aux objets. C'est un "mécanisme" encore personnel que chacun peut adopter. Il consiste donc :

> « à placer l'objet choisi (dire comment dûment choisi) au centre du monde ; c'est-à-dire au centre de mes "préoccupations" ; à ouvrir une certaine trappe dans mon esprit, d'y penser naïvement et avec ferveur (amour). »[70]

Naïveté et amour, paresse et attention, spontanéité et ferveur, loisir et plaisir, voilà quelques composantes du parti pris des choses, que Francis Ponge propose face au désarroi de la découverte, à l'étonnement pascalien ou à l'absurde camusien. Dans son analyse de Ponge, J.-P. Sartre a cherché à préciser le sens de l'expression "parti pris", et a proposé plusieurs possibilités :

> « Le titre du recueil de Ponge nous renseigne. Les choses existent. Il faut en prendre son parti, il faut prendre leur parti. Nous abandonnerons donc les discours trop humains pour nous mettre à parler des choses, de parti pris. Des choses, c'est-à-dire de l'inhumain. » (*Situations I*, p. 254.)

Ponge répondrait cependant qu'"il n'y a que de l'homme"[71], qu'on ne peut en sortir, que toute expression a obligatoirement un coefficient humain dont il faut tenir compte dans toute entreprise. Mais nous tenterons de donner une autre signification à l'expression parti pris, en prenant en considération le goût de l'auteur pour certains calembours cachés et une certaine continuité d'image dans ses textes : il faut que ce qui dans chaque objet risque d'être "parti" soit rattrapé pour être finalement "pris", comme on dit qu'on rattrape une sauce, qu'une confiture pourtant mal partie est en fin de compte "prise" ; comme la vérité du soleil qui finit "coagulée comme un œuf"[72]. Prendre le parti des choses, c'est donc prendre un "vif plaisir" :

> « A ne rien faire qu'attendre *leur déclaration particulière*. Puis à la fixer / l'attester / à l'immobiliser à la pétrifier (dit Sartre) pour l'éternité / à la satisfaire ou encore à l'aider (sans moi ce ne serait pas possible) à se satisfaire. » (*FP*, p. 267.)

Ce que voudrait donc Ponge, c'est bien sûr prendre le parti de choses jusque-là délaissées, mais en ce sens que leur message difficile à appréhender soit "saisi" et par la suite gardé indéfiniment, grâce aux paroles qui jouent alors le rôle de fixateur et de conservateur ; on trouve une telle "leçon" dans le passage intitulé : "De la modification des choses par la parole", où Ponge prend l'image de la glace, voulant, à la suite de Rabelais, faire geler les paroles :

> « Le froid, tel qu'on le nomme après l'avoir reconnu à d'autres effets alentour, entre à l'onde, à quoi la glace se subroge.
> De même les yeux, d'un seul coup, s'accommodent à une nouvelle étendue : par un mouvement d'ensemble nommé l'attention, par quoi un nouvel objet est fixé, *se prend.* »[73]

Et confirmant son allégorie de la glace, il poursuit en montrant comme se brise l'objet réel remplacé par un objet conservé et à disposition, partant plus riche, grâce au Logos :

> « La parole serait donc aux choses de l'esprit leur état de rigueur, leur façon de se tenir d'aplomb hors de leur contenant. Cela une fois fait *compris,* l'on aura le loisir et la jouissance d'en étudier calmement, minutieusement, avec application, les qualités décomptables.
> La plus remarquable et qui saute aux yeux est une sorte de crue, d'augmentation de volume de la glace par rapport à l'onde, et le bris, par elle-même, du contenant naguère forme indispensable. »[74]

Mais pour réaliser cette opération de prise des objets par les paroles, il faut faire taire la voix habituelle de l'homme, et ne réserver à celui-ci que le rôle d'un catalyseur permettant à la réaction de se produire, avant qu'il n'en devienne le bénéficiaire. Il faut alors reconnaître, et nous avons vu combien Ponge en est conscient, que la tâche est ardue, voire impossible, tant est grande de toute éternité la suprématie de l'homme sur les autres réalités :

> « Il y a toujours du rapport à l'homme... Ce ne sont pas les choses qui parlent entre elles mais les hommes entre eux qui parlent des choses, et l'on ne peut aucunement sortir de l'homme. »[75]

Que faire alors pour relever le défi ? Trouver un moyen terme : les choses s'ef-forceront, lanceront des appels, se manifesteront et s'exprimeront ; mais certes, elles n'y parviendront pas seules, et elles risquent de faire comme les arbres, qui "ne disent que les arbres" ou sont réduits à une profusion de feuilles[76], qui toutefois est un signe d'existence ; et même l'escargot est plus positif puisqu'il laisse une trace, presque une parole, signe de son astreinte, de son bouillonnement personnel. L'écrivain peut de son côté tendre à l'objet, tendre la parole à l'objet, tendre la corde de sa parole à l'objet ; faute de mieux, il peut avouer ses difficultés, publier ses recherches même infructueuses, dans la mesure où elles offrent une preuve tangible d'un rapport de l'artiste à l'objet, un texte qui tient lieu de l'objet. Et même les paroles se feront aussi choses, c'est-à-dire qu'elles montreront leur côté concret et leur matérialité, le résultat étant que l'œuvre devient ouvrage, chose :

> « L'œuvre complète d'un auteur, plus tard, pourra à son tour être considérée comme une chose. »[77]

Ainsi toute poétique est avant tout objet, et inversement, comme l'a compris Braque, "l'objet, c'est la poétique"[78]. C'est en ce sens qu'on peut parler d'une objectivité de Ponge : la primeur est donnée à l'objet, lequel offre toujours son épaisseur concrète, et modifie les rappports avec l'homme, sans toutefois l'exclure, sous peine évidemment de s'exclure lui-même. Une nouvelle relation apparaît : à la place d'un homme voyant dans l'objet un simple ustensile, apparaît un homme fréquentant et parlant les choses pour son plus grand bien. On retrouve ici l'antipragmatisme de Ponge qui conduit à privilégier une certaine matière, à donner un côté solide à une pensée qui s'échappe comme les liquides, si rien ne la retient, si elle ne rencontre aucun "objet résistant"[79] :

> « Le rapport de l'homme à l'objet n'est du tout seulement de possession ou d'usage. Non, ce serait trop simple. C'est bien pire.
> « Les objets sont en dehors de l'âme, bien sûr ; pourtant, ils sont aussi notre plomb dans la tête.
> « Il s'agit d'un rapport à l'accusatif. (...)
> « Notre âme est transitive. Il lui faut un objet, qui l'affecte, comme son complément direct, aussitôt. »[80]

Ainsi nous aurons établi deux principes "grammaticaux" de la poétique pongienne : l'infinitif pluriel du monde, et le complément direct de l'âme...

Dès lors, une telle objectivité est exigeante, car deux dangers sont possibles : soit l'habitude qui affecte notre perception et diminue notre connaissance, en réduisant les appels de l'objet ; soit, plus fréquente encore, la tendance à imposer des idées, à fabriquer des objets à notre image :

> « L'homme, le plus souvent, n'étreint que ses émanations, ses fantômes. Tels sont les objets subjectifs. »[81]

Ponge préfère donc des objets au sens étymologique de "choses qui se jettent au devant", de traverses qui par leurs travers ne peuvent se faire oublier, qui entravent tant l'esprit qu'il faut bien les prendre en considération, et se sentir responsables devant elles :

> « Il nous faut donc choisir des objets véritables, objectant indéfiniment à nos désirs. Des objets que nous rechoisissions chaque jour, et non comme notre décor, notre cadre ; plutôt comme nos spectateurs, nos juges ; pour n'en être, bien sûr, ni les danseurs, ni les pitres. »[82]

Une conclusion s'impose alors : Ponge préfère les objets aux idées. Ceux-ci sont en plus grand nombre autour de nous, toujours sous la main ; plus encore la pensée et la virtualité de l'objet artistique, la tâche du poète étant de transformer l'idée de l'objet en texte réel :

> « Le poète ne doit jamais proposer une pensée mais un objet, c'est-à-dire que même à la pensée il doit faire prendre une pose d'objet. »[83]

Ainsi ce qui fait la richesse de l'objet, c'est qu'il est la rencontre riche et ambiguë d'une matière bien concrète et d'un mystère infini, qui par ses détours et ses questions fait penser à un oracle :

> « Mais alors, quels sont les véritables oracles ? Quels sont ces oracles (également à la limite) qu'on peut toujours interpréter de toutes les façons, qui demeurent éternellement disponibles pour l'interprétation. Ne seraient-ils pas justement autre chose que les énigmes, si parfaites soient-elles ? Ne seraient-ce pas les *objets* ?

> « Les choses qu'on peut toujours interpréter de toute façon ? »[84]

C'est en ce sens que Ponge ne s'arrête pas à une simple poésie subjective, mais reconsidérant l'objet, il cherche une "co-naissance plus sérieuse"[85]. L'emploi de ce terme claudélien n'est certainement pas un hasard, tant il est vrai que le parti pris de l'un rappelle la "co-naissance" de l'autre. En effet, Claudel lui aussi était conscient du fait que rien (ou presque) n'avait été dit du monde :

> « Ouvrez les yeux ! Le monde est encore intact ; il est vierge comme au premier jour, frais comme le lait ! » (*Œuvre poétique*, pp. 132-133.)

Lui aussi voit que l'homme veut s'imposer, et qu'il déprécie le monde qui l'entoure, en ne faisant que projeter sur lui sa propre image :

> « L'homme connaît le monde, non point par ce qu'il y dérobe, mais par ce qu'il y ajoute : lui-même. » (Id.)

Mais plus encore la définition que Claudel donne de la com-préhension nous séduit, dans la mesure où elle correspond exactement à l'interprétation que nous avons tentée pour l'expression : "parti pris" :

> « Comprendre, saisir en même temps, réunir par la prise. Comme on dit que le feu prend, ou que le ciment prend, ou qu'un lac se prend en hiver, ou qu'un idée prend dans le public, c'est que les choses se comprennent et que nous les comprenons. » (Id., p. 179.)

Proust lui aussi était conscient du rôle des objets dans notre perception du monde et de leur contribution à la mémoire du passé, tant il est vrai que ceux-ci participent à notre vie de tous les jours, en étant témoins de certains états d'âme. Un passage retient plus notre attention, car le vocabulaire fait état de cette considération donnée aux choses, de ce "parti" ("perdu" ?) pris dans la chose :

> « Je trouve très raisonnable la croyance celtique que les âmes de ceux que nous avons perdu sont captives dans quelque être inférieur, dans une bête, un végétal, une chose inanimée, perdues en effet pour nous jusqu'au jour, qui pour beaucoup ne vient jamais, où nous nous trouvons passer près de l'arbre, entrer en possession de l'objet qui est leur prison. Alors elles *tressaillent*, nous *appellent,* et sitôt que nous les avons *reconnues,* l'enchantement est brisé. *Délivrées par nous,* elles ont vaincu la mort et reviennent vivre avec nous. »[86]

Ainsi le Parti pris supppose une co-habitation avec les choses, une co-naissance et même une re-naissance avec elles, d'où l'homme ne peut tirer que profit et joie, ou pour parler comme Claudel une "reconnaissance". C'est un homme nouveau qui s'annonce, transformé par un nouvel accord avec le monde.

Conclusion : premiers aperçus sur le matérialisme

Pourtant s'il existe chez les deux écrivains une parenté dans la façon d'envisager la connaissance, dans l'attention toute particulière adressée aux choses, Ponge et Claudel diffèrent par l'intention. Ce que l'un voit lié à Dieu et venant de Dieu, l'autre veut le voir surgir des choses et de l'homme. Ce qui est pour l'un création sous l'impulsion divine, est pour l'autre récréation des choses sous l'impulsion "mystérieuse" et "oraculaire" de l'artiste :

> « Il faut que l'homme, tout comme d'abord le poète, trouve sa loi, sa clef, son dieu en lui-même. Qu'il veuille l'exprimer mort et fort, envers et contre tout. C'est-à-dire s'exprimer. »[87]

On retrouve bien cette leçon dans la discussion avec le pasteur Babut, où Ponge affirme faire "confiance à l'homme"[88], et en vient à une attitude qui a bien préoccupé les surréalistes, c'est-à-dire associer "le poétique et le politique"[89]. Car c'est bien là que se trouve l'humanisme de

Ponge : il ne peut séparer l'homme et les choses dans son désir de restauration, de récréation. Et même refusant une intervention divine ou religieuse (il reproche certainement à tort à la religion de ne pas faire confiance à l'homme), il conçoit une Rédemption du monde passant par l'esprit de l'homme : le jour où les choses auront une nouvelle place dans l'esprit humain, la fin d'un monde arrivera. Et il n'y a que deux moyens : politique d'abord en renouvelant l'homme dans l'action et en le tournant vers le futur ; poétique ensuite en ravivant le langage. C'est donc la matière tant de la Nature que du Verbe qu'il faut racheter, mais en passant par l'Esprit humain.

Et de fait l'humanisme de Ponge repose sur un certain matérialisme plusieurs fois avoué, notamment dans *La Figue,* matérialisme qui rappelle profondément Epicure, comme le montre tout particulièrement la préface intitulée *Pour Marcel Spada.* Plusieurs aspects peuvent déjà être retenus ici : Ponge s'intéresse aux nombreux éléments qui forment la Nature ; ceux-ci sont variés et résistent à la connaissance ; raison de plus pour s'y attacher d'une façon tout épicurienne dans un comportement qui comprend “ce qui dépend de nous”. Mais cette matière n'est pas fixe, pas morte ; elle est en perpétuelle évolution, elle fonctionne ; et cette évolution est due à l'élan qui l'anime, à l'impulsion qui est en elle. Toutefois la sagesse d'Epicure est encore là pour conseiller la retenue, pour en mieux jouir, et être sensible à la matière du texte :

> « Et de quoi donc, en fait, va-t-il devoir s'agir ? — Non du tout, si l'on m'a compris, de refuser l'excitation de la course, mais seulement, afin d'en mieux jouir au contraire, d'en modérer (freins puissants) *juste assez* l'allure — et ceci est affaire à chacun, selon la connaissance qu'il a de la réaction de sa sensibilité aux excitants — pour ne pas manquer de déchiffrer au passage les indications, plus ou moins discrètes, mais toutes matièrellement inscrites dans le texte, qui permettront peu à peu d'en sai-

> sir la combinatoire, et d'accéder enfin au plaisir *infini* que procure la considération au sens propre d'un fonctionnement sans repos en circuit fermé. »[90]

Et c'est là qu'on retrouve le refus du tragique ; non pas que Ponge l'ignore, mais au contraire, il en fait son point de départ. Il sait bien qu'Eros ne peut se concevoir sans Thanatos, et à la suite d'Epicure, il comprend la dialectique du plaisir et de la douleur. Loin de désespérer sur la résistance des objets, il s'en réjouit, recherche leur "outrage"[91]. Il ne peut en prendre pleinement possession mais est sûr de leur contact ; s'il éprouve la "douleur" de n'en être pas maître, il a également le "plaisir" de ressentir "une succession de petites convulsions (voire jubilations) de détail"[92]. Voilà comment, grâce à une nouvelle connaissance, Ponge parvient à son paradis :

> « Fraternité et bonheur (ou plutôt joie virile) : voilà le seul ciel où j'aspire. Ici-haut. »[93]

C'est cette joie qui donne, dans un "tremblement", la "certitude" d'un nouveau fonctionnement universel. Et même si ces plaisirs n'ont pas été donnés sans "un reste imaginaire de besoin"[94], c'est tout de même par là que l'on atteint l'œuvre considérable :

> « Considérable, je veux dire : qui a le mérite de *pouvoir être* considéré, ce qui, très exceptionnel dans la littérature contemporaine, répond si bien à la physique épicurienne (système d'atomes en mouvement dans le vide), annulant le temps et tout ce qui s'ensuit dans la vie morale : les notions de durée, de destin, la crainte de la mort. » (Id., p. 13.)

Mais cette "considération" montre combien ce matérialisme ne doit pas se faire à l'extérieur. Il doit envahir l'esprit, le choquer.

Comme pour Braque, il n'y a pas de considération sans médiation ou contemplation, sans représentation dans l'esprit, les véritables "templa serena"[95].

Au matérialisme des objets en correspond donc un autre, qui est celui du langage. Car les mots vont être traités par Ponge comme des objets, de la matière vivante. Mais là aussi, pour parvenir à un bon fonctionnement, il s'agira de les "récréer", en recherchant tous leurs éléments, et en les faisant jouer et jubiler à plaisir.

NOTES :

1. PM, *p. 133.*
2. Horace : Epitres *II, 2, verset 12.*
3. "La Pratique de la littérature" in GRM, *p. 267 (*M, *p. 273).*
4. GRL, *Note p. 59 (*AC, *p. 81).*
5. Cf. EPS, *p. 27.*
6. "Le Dispositif Maldoror-Poésies" in GRM, *p. 204 (*M, *p. 211).*
7. "Le Mimosa" in RE, *p. 76-77 (*TP, *p. 308). Il est évident, une fois de plus, que simplicité n'est pas facilité.*
8. "Le Murmure", GRM, *p. 193 (*M, *p. 200).*
9. "My Creative Method" in GRM, *p. 11 (*M, *p. 11).*
10. Selon la belle image de La Figue.
11. NR, *p. 172 (*AC, *p. 232).*
12. "My Creative Method" in GRM, *p. 34 (*M, *p. 34-35).*
13. "E. de Kermadec" in AC, *p. 319.*
14. Argument précédant "Le Lézard" in GRP, *p. 94 (*P, *p. 84).*
15. "My Creative Method" in GRM, *p. 38 (*M, *p. 39).*
16. "My Creative Method" in GRM, *p. 16 (*M, *p. 16).*
17. L'Ephémère, *V, p. 17.*
18. Cf. "My Creative Method" in GRM, *p. 40 (*M, *p. 41).*
19. "L'Oeillet" in RE, *p. 57-58 (*TP, *p. 293).*
20. Cf. EPS, *p. 127.*
21. "Tentative orale" in GRM, *p. 257 (*M, *p. 264).*
22. "De la nature morte et de Chardin" in NR, *p. 175 (*AC, *p. 236).*
23. PM, *p. 134.*
24. "La Pratique de la littérature" in GRM, *p. 268 (*M, *p. 274).*
25. Idem.
26. "My Creative Method" in GRM, *p. 25 (*M, *p. 26).*
27. "La Pratique de la littérature" in GRM, *p. 271 (*M, *p. 277-278).*
28. PM, *p. 131. Cf. aussi p. 201.*
29. "De la nature morte et de Chardin" in NR, *p. 170 (*AC, *p. 231).*
30. "Le Carnet du bois de pins" in RE, *p. 114 (*TP, *p. 339).*
31. "Le Volet" in GRP, *p. 118 (*P, *p. 104).*
32. CFPP, *p. 98.*
33. PM, *p. 310.*
34. CFPP, *p. 118.*
35. Cahiers critiques de la littérature n° 2 (décembre 1976) p. 6.
36. PM, *p. 283.*
37. Cahiers critiques de la littérature *n° 2, p. 26.*

38. Cahiers critiques de la littérature *n° 2, p. 13-14 ; cf. aussi* Colloque de Cerisy, *p. 411.*
39. "Notes prises pour un oiseau" in RE, *p. 37-38 (*TP, *p. 278).*
40. "Notes prises pour un oiseau" in RE, *p. 41 (*TP, *p. 280-281).*
41. "La Pratique de la littérature" in GRM, *p. 265 (*M, *p. 271).*
*42. Id, p. 264/*M, *p. 270-271.*
43. PM, *p. 89.*
44. PM, *p. 250 ; cf. aussi* Colloque de Cerisy *p. 149.*
45. Colloque de Cerisy, *p. 419.*
46. "Texte sur Picasso" in AC, *p. 340. Ponge a écrit un texte sur l'inspiration où il déclare : « Naissance de l'inspiration par le jeu combiné de l'esprit critique et du Flux lyrique ou logique (verbal) enfin le flux, le ruminement. »* Pratiques d'écriture, *p. 48.*
47. "Voici déjà quelques hâtifs croquis pour un "portrait complet" de Denis Roche" in TXT *n° 6-7, Rennes, 1974, p. 21.*
48. EPS, *p. 131.*
49. "Notes prises pour un oiseau" in RE, *p. 51 (*TP, *p. 287).*
50. "My Creative Method" in GRM, *p. 12 (*M, *p. 12-13).*
51. "Introduction au galet" Proêmes *in* TP, *p. 200 (*PPC, *p. 177).*
52. "Pages bis" Proêmes *in* TP, *p. 225 (*PPC, *p. 198-199).*
53. "Tentative orale" in GRM, *p. 253 (*M, *p. 260).*
54. "La Robe des choses" in GRP, *p. 8 (*P, *p. 8). Il faut savoir employer "une autre lunette"* Pratiques d'écriture, *p. 37.*
55. "My Creative Method" in GRM, *p. 13 (*M, *p. 14).*
56. "Les Hirondelles" in GRP, *p. 189 sqq (*P, *p. 166) et aussi* AC, *p. 322.*
57. "Le Peintre à l'étude" in TP, *p. 427 (*AC, *p. 8).*
58. RE, *p. 141 (*TP, *p. 357).*
59. GRM, *p. 162 (*M, *p. 167).*
60. "Le Verre d'eau" in GRM, *p. 163 (*M, *p. 170).*
61. "Le Verre d'eau" in GRM, *p. 132 (*M, *p. 136).*
62. "Deux textes sur Braque" in NR, *p. 189 (*AC, *p. 245).*
63. "L'Opinion changée quant à Ponge" Tel Quel *n° 28 1966 p. 92.*
64. EPS, *p. 80.*
65. "Le Soleil placé en abîme" in GRP, *p. 153 sqq (*P, *p. 135 sqq).*
66. "E. de Kermadec" in AC, *p. 321.*
67. Rappelé et commenté par F. Ponge in CFPP, *p. 5.*
68. "Tentative orale" in GRM, *p. 247 (*M, *p. 253).*
69. "Introduction au galet" Proêmes *in* TP, *p. 199 (*PPC, *p. 176).*
70. "My Creative Method" in GRM, *p. 33 (*M, *p. 34).*
71. "Fragments métatechniques" in NR, *p. 16.*
72. "Le soleil placé en abîme" in GRP, *p. 188 (*P, *p. 165). Ponge parle aussi de "coagulations" dans les "Notes premières de l'homme"* Proêmes *in* TP, *p. 246 (*PPC, *p. 216).*
73. Proêmes *in* PPC, *p. 122 (*TP, *p. 139). (C'est nous qui soulignons).*
74. "De la modification des choses par la parole" Proêmes *in* TP, *p. 140 (*PPC, *p. 123).*
75. "Raisons de vivre heureux" Proêmes *in* TP, *p. 189 (*PPC, *p. 167).*
76. "Tentative orale" in GRM, *p. 250 (*M, *p. 256-257).*
77. "Raisons de vivre heureux" Proêmes *in* TP, *p. 190 (*PPC, *p. 167).*

78. NR, *p. 143 sqq (*AC, *p. 221 sqq).*
79. "La Seine" in TP, *p. 530. Le rapport solides-lipides y est particulièrement bien souligné.*
80. "L'objet, c'est la poétique" in NR, *p. 145 (*AC, *p. 221).*
*81. Id. p. 147 (*AC, *p. 224).*
82. "L'objet, c'est la poétique" in NR, *p. 148 (*AC, *p. 224).*
83. "Natare piscem doces" in Proêmes, TP, *p. 148 (*PPC, *p. 130).*
84. "Tentative orale" in GRM, *p. 239 (*M, *p. 245).*
85. "Le carnet du bois de pins" in RE, *p. 118 (*TP, *p. 342).*
86. Prousι : A la recherche du temps perdu *T1 p. 65 ; nous soulignons les termes qui renvoient au "parti pris" de Ponge.*
87. "Pages bis" Proêmes *in* TP, *p. 216 (*PPC, *p. 190).*
88. "Appendice au carnet du bois de pins" in RE, *p. 160 (*TP, *p. 373).*
*89. Idem p. 161-162 (*TP, *p. 374).*
90. Pour Marcel Spada, *p. 4.*
91. Idem, p. 5.
92. Ibidem, p. 5.
93. "Pages bis" Proêmes *in* TP, *p. 214 (*PPC, *p. 188).*
94. Pour Marcel Spada, *p. 5.*
95. "Braque, un méditatif à l'œuvre" in AC, *p. 317.*

II.
La récréation du langage

Il est nécessaire de proclamer dès le début que Ponge a plus consacré (de sa personne aussi bien que de son écriture) au « compte tenu des mots » qu'au « parti pris des choses », tout en rappelant que les deux sont indispensables. C'est que pour l'auteur le problème essentiel, qui met en jeu le sort de l'homme et du monde, c'est l'expression, problème « oublié » par Camus :

> « Il ne recense pas parmi les « thèmes de l'absurde » l'un des plus importants (le plus important historiquement pour moi), celui de l'infidélité des moyens d'expression, celui de l'impossibilité pour l'homme non seulement de s'exprimer mais d'exprimer n'importe quoi.
>
> « C'est le thème si bien mis en évidence par Jean Paulhan et c'est celui que *j'ai vécu.* »[1]

La récréation du langage passe donc par un cheminement difficile en direction de la rhétorique, ou plutôt contre elle. Ponge, en effet, expose les travers, les inconvénients de la parole, la honte de toute écriture ; mais il proclame aussi la nécessité bienfaitrice du langage, et montre comment on peut rénover, récréer le Verbe. Par conséquent, derrière une poésie qui montre la création verbale et ses affres, Ponge préfère exposer les « raisons de vivre heureux »[2], c'est-à-dire que tout texte est une description mettant en forme ce qui n'était que paradis perdu, et qui devient « paradis des raisons adverses »[3] adverses et donc résistantes, obligeant d'autant plus à en avoir raison, pour en avoir aussi l'usufruit et par conséquent la jouissance.

NOTES :
1. « Pages bis » Proêmes *in* TP, *p. 205 (*PPC, *p. 181).*
2. Proêmes *in* TP, *p. 188 (*PPC, *p. 166).*
3. CFPP, *p. 98.*

1. La recherche d'une rhétorique

Il faut tout d'abord rappeler que chez les Grecs, la rhétorique ne se séparait pas d'un art de vivre : la bonne parole suppose une ascèse morale. Nous avons vu combien Ponge reprend à son compte cette sagesse antique, comme bon nombre de poètes modernes (Jacob ou Char par exemple). Pour lui la grandeur de l'homme passe par la valeur de son langage. En effet, la "qualité différentielle" de l'homme, sinon sa supériorité, c'est la parole. L'humanisme de Ponge passe donc obligatoirement par une réflexion sur la rhétorique, et on peut y voir une attitude bien classique rappelant tout naturellement les efforts d'un Malherbe.

D'autre part, la tâche de Ponge semble pouvoir se résumer dans les deux sens d'un gallicisme qu'il a souvent employé, le "c'est-à-dire". Cette expression marque en effet le désir perpétuel de trouver l'équivalent verbal parfait de la chose à dire, et en même temps la nécessité de parler, l'obligation de toujours remettre sur le métier son ouvrage :

> « Polissez-le sans cesse et le repolissez »[1]

En sorte que Ponge se soucie de trouver une matérialité textuelle à son idée de l'objet en des termes toujours plus clairs, tout en étant soumis à une "rage de l'expression" qui le convainc d'un mieux toujours possible mais inaccessible. En somme, une rhétorique à faire, "poétique", et aussi une poésie qui va contre la rhétorique traditionnelle, qui va de l'avant, comme des "pro-èmes".

Les problèmes du langage

Tout d'abord, en tant qu'homme, on n'échappe pas au langage. Comme les arbres font du vert, l'homme fait du verbe. Or toute réflexion, toute mise en question, toute communication passe par une mise en paroles. Et force est de constater que, la plupart du temps, les mots ne sont que des outils sans consistance : toute parole n'est que vanité :

> « O hommes ! Informes mollusques, foule qui sort dans les rues, millions de fourmis que les pieds du Temps écrasent ! Vous n'avez pour demeure que la vapeur commune de votre véritable sang : les paroles. Votre rumination vous écœure, votre respiration vous étouffe. Votre personnalité et vos expressions se mangent entre elles. Telles paroles, telles mœurs, ô société ! Tout n'est que paroles ».[2]

mais

Si la parole est vile et commune, l'homme est cependant placé dans la situation d'Adam : les êtres existent à partir du moment où on les nomme ; le verbe donne chair aux êtres, il est leur nécessité vitale universellement répandue et reconnue. Par conséquent, prendre la parole, c'est s'engager, c'est même choisir une attitude sur le langage et la vie. Pour un écrivain, c'est bien plus encore : écrire, c'est obligatoirement exposer sa propre considération du langage. C'est une constatation terrible, mais aussi exaltante par son exigence. Ponge ne s'y trompe pas, qui a compris combien le dire est lié à l'être ou au faire, et même y conduit :

> « Le Faire ce que l'on Dit ». (*PM*, p. 204.)

« Au commencement était le Verbe » : toute existence commence par là ; parler, c'est être. Et dans la mesure où l'on cherche un humanisme authentique, où l'on veut "être résolument", où il s'agit de "l'homme résolument", il faudra aussi parler, résolument[3].

Si donc les paroles tiennent une pareille place, manier le langage sera une tâche délicate et difficile. Car les paroles ont été "usées" par des siècles où chacun s'est complu à en faire un outil courant, déformant à son gré les significations et modifiant en tous sens leur valeur :

> « Nous n'avons pas à notre disposition d'autres mots ni d'autres grands mots (ou phrases, c'est-à-dire d'autres idées) que ceux qu'un usage journalier dans ce monde grossier depuis l'éternité prostitue. Tout se passe pour nous comme pour les peintres qui n'auraient à leur disposition pour y tremper leurs pinceaux qu'un même immense pot où depuis la nuit des temps tous auraient eu à délayer leurs couleurs ».[4]

Et pas seulement les peintres artistes, mais bien plus « toutes les concierges, tous les employés de chantier, tous les paysans »[5], bref des gens plus soucieux de l'immédiat et de l'utile que de l'esthétique. Car le mot avant d'être source de littérature est d'abord matériau universel, dépourvu de tout privilège, au point que "les *dicts* (dicta)" sont irrémédiablement des instruments qui "servent *à toutes besognes*"[6]. Dans ces conditions, les mots sont condamnés à ne pas toujours dire ce que l'on veut leur faire dire, à être entendus et interprétés dans un mauvais sens, dû surtout à la subjectivité des récepteurs ; car il y a une tentation :

> « Celle de se laisser glisser, comme une voiture sur le verglas, vers quelque idéologie, c'est-à-dire à l'emploi abusif d'une des faces de ces Janus que sont les mots (idées), au détriment de leur autre face (choses) » (Id.)

Dès lors, deux dangers apparaissent : le premier vient, comme nous l'avons vu, du langage, dont la transmission peut être affaiblie et le message déformé. Cette condition est encore aggravée par ce que certains ont appelé "l'arbitraire du signe", c'est-à-dire qu'à tel signifiant on fait correspondre par un code un peu arbitraire un signifié. Dans cette perspective, on peut être conduit à la "para-bole", en ce sens que chaque mot ou chaque phrase doit être interprété pour donner sa véritable signification ; le langage n'est alors qu'un signe, voire un symbole qui risque de faire disparaître ses valeurs directes. Le reproche pourrait concerner certains surréalistes (Sartre parle de « grande parlerie surréaliste »), lesquels oubliaient parfois ce qu'ils devaient exprimer en ne s'attachant qu'aux enivrantes possibilités des signifiants. L'image, soit, mais à condition de respecter la vérité.

Le deuxième danger est lié au premier ; il s'agit de l'hyperbole ; car choisir des objets banals n'est pas sans périls :

> « Nous risquons à chaque instant la médiocrité, la platitude ; ou la mièvrerie, la préciosité »[7].

On risque alors par réaction de se laisser griser par les paroles, de dire plus que l'objet ne l'exigeait, ou encore de dire en cent pages ce qui pouvait apparaître en une. Certains textes de Ponge donnent bien cette impression de remplissage, de cumul fastidieux et inopérant. C'est un peu Apollonios de Rhodes en face de Pindare. Certains critiques (surtout les premiers) ne se sont pas privés de reprocher cette logorrhée ; mais à vrai dire Francis Ponge se reproche lui-même cette tendance à la débauche verbale, qu'il appelle "expressionnisme"[8], et qu'il explique par le désir du mot juste, en l'opposant à la simple connaissance. Les critiques contemporains voient au contraire une richesse dans les différents états d'un texte, permettant d'apprécier sa composition. Il n'en reste pas moins que Ponge se doit d'être très attentif contre une simple jonglerie des mots, si elle demeure gratuite.

Face à de tels risques ou dangers, on comprend l'envie de suivre l'exemple de Mallarmé, dans un silence ne compromettant personne, mais restant un aveu d'échec :

> « Il faut un certain courage pour se décider non seulement à écrire mais même à parler »[9].

Mais ne dire mot n'est certes pas une solution au problème, puisqu'ainsi on ne sait même pas qu'il y a problème. Le silence est donc un mal bien plus grand que la parole dégradée. Ponge le constate à propos d'une phrase de Kierkegaard sur le mutisme :

> « Quelconque de ma part, la parole me garde mieux que le silence »[10].

Car les vicissitudes du langage ne doivent pas laisser l'écrivain sur un échec. Même si l'écrivain sait qu'il est impossible de parler, qu'il n'est guère plus facile de décrire les choses, il voit des succès relatifs. Et puis surtout, il peut découvrir une mission pour le futur :

> « Il me reste à publier la relation de mon échec »[11].

C'est là mieux qu'un néant ; ce peut être même une œuvre de salut public. C'est en quelque sorte condamner ce qui nous damne, le proclamer pour s'en mieux défendre, faire comprendre qu'on n'est pas dupe. Ponge découvre alors la seule vraie tâche qui mérite toute son application :

> « Le silence est aussi dangereux dans cet ordre de valeurs que possible.
> « Une seule issue : parler contre les paroles. Les entraîner avec soi dans la honte où elles nous conduisent de telle sorte qu'elles s'y défigurent. Il n'y a point d'autre raison d'écrire »[12].

Désormais, la seule rhétorique qui soit possible, c'est "l'art de résister aux paroles"[13], autrement dit une contre-rhétorique. Ainsi, Ponge constate les nombreuses faiblesses de la parole et de l'écriture ; mais pour sauver le Verbe, pour le récréer, loin de se lamenter sur son sort, il montre ses affres, il expose ses tares. On sait comment Mallarmé en usait. Trouvant le signifiant trompeur ou inexact, il le rectifiait par une alliance de mots ou une métaphore : ainsi le jour devient "sombre" en face de la nuit "claire". Le rôle du poète est donc de corriger l'excessif du signe. Conforme à l'exemple de Mallarmé, le but de Ponge sera d'énoncer et de dénoncer : énoncer les choses qui nous entourent, dénoncer les mots incapables d'exprimer justement les choses. Désormais, parler ce sera arraisonner, c'est-à-dire non seulement s'adresser à quelqu'un dans le sens ancien du terme, mais bien plus mettre à *raison* le langage, sévir contre la parole :

> « Il ne s'agit pas plus de parler que de chanter. « Qu'est-ce que la langue, lit-on dans Alcuin ? C'est le fouet de l'air ». On peut être sûr qu'elle rendra un son si elle est conçue comme une arme. Il s'agit d'en faire l'instrument d'une volonté sans compromission, — sans hésitation ni murmure. Traitée d'une certaine manière, la parole est assurément une façon de *sévir* »[14].

La parole devient alors une arme ; c'est la fameuse "massue cloutée" de Mallarmé qui voyait dans la formule la meilleure façon de frapper. C'est que, de cette manière, le hasard contenu aussi dans l'arbitraire du signe, et contre lequel Ponge veut lutter (« contre le hasard »[15]) peut se trouver piégé, fixé, et donner par cette flèche la victoire dans la discussion :

> « N'importe quel hasard élevé au caractère de la fixité. Proverbes du gratuit. Folie, capable de victoire dans une discussion pratique »[16].

C'est le "coup-par-supériorité" qui permet de terrasser les simples parleurs, les faiseurs de prêchi-prêcha, les "concierges" de la littérature.

D'autre part, la méfiance en face des dicta, pour lesquels il apparaît que le signifiant offre des éléments moins aléatoires que le signifié, se confirme dans la nécessité de bien contourner le référent, avant de pouvoir en exprimer une qualité ; car « créer, c'est errer »[17], c'est plus un parcours qu'un but. D'ailleurs lorsque Ponge veut exprimer telle ou telle émotion, il lui arrive souvent de parler d'autre chose, pour finalement avouer :

> « Il est temps d'y revenir »[18] ou « Quant à moi, je reviendrai donc à ma Beauté première »[19].

Il y a même comme une sorte de marivaudage. En effet, les héros de Marivaux ne sauraient dire qu'ils aiment, ce qui précipiterait trop les événements, au point de les anéantir eux et leur amour-propre ; ils font bien mieux ; alors ils repoussent par du verbe l'aveu et s'en détournent. Ils semblent parler d'autre chose, mais finalement ils n'ont jamais tant proclamé leur amour ; et leur partenaire ne s'y trompe pas, qui répond sinon à leur amour, du moins à ce beau langage, qui en est aussitôt victime, et bien plus convaincu, et définitivement. Il en est de même pour Ponge dans sa considération des choses et des moyens d'expression. En effet, il ne saurait dire : « Ah, j'aime les chevaux ! » sous peine d'avoir « manqué le train »[20], d'employer une expression galvaudée et risquant d'être mal comprise. Désormais, tout est dans un rituel toujours présent. Dans *Madame Bovary*, Flaubert ne parle pas expressément de jaune, mais il n'y a finalement que ce “ton” ; les sujets de Picasso ne sont pas le bleu et le rose, mais il y a ces deux périodes ; dans *Sylvie*, comme le dit Proust, c'est aussi le bleu qui compte :

> « Tout compte fait, il n'y a que l'inexprimable, que ce qu'on croyait ne pas réussir à faire entrer dans un livre qui y reste. C'est quelque chose de vague et d'obsédant comme le souvenir. C'est une atmosphère. L'atmosphère bleuâtre et pourprée de *Sylvie*. Cet inexprimable-là, quand nous ne l'avons pas ressenti, nous nous flattons que notre œuvre vaudra celle de ceux qui l'ont ressenti, puisque en somme les mots sont les mêmes. Seulement, ce n'est pas dans les mots, ce n'est pas exprimé, c'est tout mêlé entre les mots, comme la brume d'un matin de Chantilly ». (*Contre Sainte-Beuve*, p. 242.)

Et cet inexprimable exprimé, ce détour savant qui multiplie à l'envi les expressions et les variantes, pour dire la chose, finit par entraîner, forcer le lecteur devenu confiant :

> « Obsolète, profondément cachée sous cette première ligne, éclate en cet instant, ô joie ! provoquée par la certitude du lecteur arrêté, saisi, concerné aussitôt.

> « Probablement, tu veux fuir. Prends garde. Par ma rhétorique, pourtant, te voici marqué pour toujours ». (*PM*, p. 318.)

C'est là le danger suprême de la rhétorique : elle séduit, tout comme elle peut dire la vérité. Et pourtant, ce qui compte pour Ponge, de façon vitale, c'est de s'exprimer de la manière la plus fidèle tant aux choses qu'aux moyens d'expression. C'est pourquoi il cherche un texte qui ne le trahisse pas, qui ait tout prévu, mais dans ses multiples détours, il n'oublie pas le but, il s'y consacre tout entier. Il lui suffit simplement, par un clin d'œil, de montrer la plaie de la rhétorique, elle qui établit une forme absolue, alors que tout n'est que relatif, varié. Il y a alors un apparent paradoxe : il faut fixer le langage pour en faire une arme, et ne pas le figer sous peine d'en perdre l'intérêt essentiel, à savoir fonctionner et vivre. Mais cette contradiction se résout dans le but que l'on s'est assigné : la variété de l'énonciation rejoint la force de la dénonciation. L'arme est irrésistible : *Les Fausses Confidences* font place au *Triomphe de l'amour*...

Poésie ou science ; raison et réson

Dans ces conditions, on voit bien que Ponge ne recherche pas a priori la poésie, mais comme il prône une contre-rhétorique, il est conduit à une contre-poésie, paradoxalement poétique, car si l'on contre une mauvaise rhétorique par la rhétorique, il faut désaffubler[21] ou "iconoclastiquer"[22] la poésie par la poésie :

> « Le jour où l'on voudra bien admettre comme sincère et *vraie* la déclaration que je fais à tout bout de champ que je ne me veux pas poète, que j'utilise le magma poétique *mais* pour m'en débarrasser, que je tends plutôt à la conviction qu'aux charmes, qu'il s'agit pour moi d'aboutir à des formules *claires* et impersonnelles, on me fera plaisir, on m'épargnera bien des discussions oiseuses à mon sujet ».[23]

Ainsi, la poésie comme moyen nécessaire, non comme but. C'en est donc fini des seuls "charmes", de toute "concession putassière". Comme le dit René Char, il serait temps "d'incinérer" les "laitiers caressants", les "minaudiers fourbus"[24], qui ont fait croire à une poésie envoûtante, magique, ce qui souvent sous-entend quelque supercherie, au moins à l'égard de la réalité décrite. A l'image de Malherbe, il faut plus de virilité, plus de sincérité et de courage pour vaincre et convaincre :

> « La Beauté n'est pas à trop longuement courtiser, attendrir, charmer, apitoyer, mais plutôt à assiéger, obséder, cerner, et prendre d'assaut ; fasciner, *convaincre* (irréfutablement). Elle est objet de conquête ». (*PM*, p. 65.)

Un programme de libertin. Celui qui permet à Valmont de triompher de la Présidente de Tourvel.

Mais il faut savoir dépasser cette dualité charmes-conviction. Dans un passage important du *Murmure*, Francis Ponge a montré combien cette double tendance assignée à l'artiste était limitée. L'homme n'a fait que s'y soumettre autant qu'à la dualité Idées-Sentiments, jusqu'à en être sa propre victime. Il ne faut pas chercher à imposer aux choses, et peut-être encore moins aux mots, des doctrines ou des comportements de nature humaine ; mais le monde aussi bien que le verbe doit disposer de lui-même, par un fonctionnement personnel, qu'on doit s'efforcer de remettre en place, de "prendre en réparation". Dès lors plus que jamais, il ne s'agit que de "création et récréation".

N'y aurait-il pas alors quelque chose de scientifique, dans cette poésie ("Merde pour ce mot"[25]), dans cette volonté de démonstration ? Sans doute peut-on le croire, comme Pythagore voyait dans le monde un ensemble de nombres. Les formules auxquelles tend Ponge ont bien cette propriété :

> « Elles participent de la géométrie, des nombres, mais il s'agit de nombres *concrets* (...) Il s'agit de

la nomination de choses du monde sensible, en *nombres sensibles.* » (*PM*, p. 137.)

Il existe cependant une différence importante avec les nombres de la mathématique, différence qui laisse bien entendre la supériorité du Verbe :

> « Les uns ne sont que des divisions quantitatives de l'Unité ; les autres, des espèces de la Pluralité, des variétés de la vie. Des harmoniques ou divisions *qualitatives* de l'Unité.
> « Elles signifient la vie, la variété. Elles exigent moins de l'esprit et risquent donc moins de partager ses erreurs.
> « La Poésie est alors la *science* la plus parfaite, non la Mathématique, ni la Musique ».[26]

Aussi, Ponge ne refuse-t-il pas d'être plutôt "savant" que "poète"[27]. Il n'est pas celui qui goûte béatement le plaisir gratuit des mots, le plaisir un peu parnassien d'avoir seulement bien dit tel ou tel paysage. Ponge est résolument "contre" :

> « Dans mon esprit, il ne s'y agit pas *du tout* de la naissance d'un poème, mais plutôt d'un effort *contre* la "poésie".[28]

Ce qui compte, c'est donc moins cette "naissance" qu'une véritable connaissance, une découverte, une nouvelle façon qu'a l'esprit de lire l'univers, une lectio ou "leçon" que prend l'esprit face au cosmos :

> « Il s'agit d'éclairer cela, d'y mettre la lumière, de dégager les raisons (de mon émotion) et la loi (de ce paysage), de faire *servir* ce paysage à quelque chose d'autre qu'au sanglot esthétique, de le faire devenir un outil moral, logique, de faire, à son propos, faire un pas à l'esprit ».[29]

On comprend mieux alors en quoi il y a une leçon de l'escargot ; ce n'est pas une morale au sens du code du bien-vivre, même si elle l'implique finalement ; c'est d'abord une conquête sur la façon de dire ou de lire (lectio), pour un progrès de la connaissance par l'esprit. Le besoin scientifique entraîne forcément une réflexion sur la raison. Ponge ne pouvait s'en détourner, d'autant que dès l'origine, le Logos est justement autant parole que raison. Il publie donc ses "Raisons d'écrire", ses "Raisons de vivre heureux". Le mot raison a alors un sens particulier, qui ne perd rien de la "ratio" latine. Ponge y voit un motif, une présence, une obligation qui le détermine. L'esprit y est accroché, cherche à en avoir *raison*, est obligé de s'y consacrer, d'y retourner :

> « Si je les nomme raisons, c'est que ce sont des retours de l'esprit aux choses ». (*NR*, p. 31.)

Dans ces conditions, cette Raison s'oppose à la Raison traditionnelle, à la Raison pure, elle est "Plus-que raisons" ; elle est ce que Ponge appelle la "Raison adverse", expression qu'il emploie à plusieurs reprises, sans en donner expressément le sens. Pourquoi donc adverse ? Pour au moins deux raisons : d'abord parce que ces raisons peuvent nous contenter à tort et que donc elles nous trompent, mais plus vraisemblablement parce que ces raisons font une résistance, qu'il faut aller au-delà, cet au-delà étant un paradis à retrouver. C'est bien cette leçon qui nous est donnée dans *La Figue* :

> « La parole, grâce à son épaisseur de pâte, grâce à sa résistance et non-résistance (d'abord) à l'esprit, est aussi une façon de sévir (contre l'esprit) : une façon de mordre dans la vérité (qui est l'obscurité) : dans le fond obscur de la vérité.
>
> « Ou plutôt : il y a une façon de traiter les paroles conçues comme pâte épaisse à franchir qui mime la façon qu'a l'esprit de franchir la raison simple pour atteindre au fond obscur des choses : à leur vérité ». (*CFPP*, p. 35.)

Dès lors, la rhétorique ne se conçoit que comme un dépassement, un renoncement à une tentation qui a perdu des générations et qui comprend plusieurs étapes que Ponge résume ainsi :

> « Elaboration, élucidation, dogmatisation, raffinement ».[30]

Il faut alors en revenir à la leçon de Mallarmé : pour empêcher le dogmatisme, la multiplication des fausses valeurs, il faut trouver un langage qui s'autocritique. Il faut rajouter au programme précédent une obligation qui en corrige toutes les erreurs, à savoir l'abolition. Il faut savoir "boucler les significations"[31], et d'une façon générale tout replacer face au Cosmos (l'Ordre de Pythagore) et au Logos universel (le Langage et la Raison), pour retrouver le Fonctionnement universel. C'est alors la seule fonction de la Poésie :

> « C'est de nourrir l'esprit de l'homme en l'abouchant au cosmos ».[32]

Et pour atteindre cette Raison au plus haut prix, pour vraiment abolir et tout "boucler", il faut savoir prendre des risques ; il faut au mieux "tendre la corde sensible à la rompre"[33]. En quoi Malherbe s'est montré un précurseur après l'esprit plus vagabond du Baroque. Il a su atteindre la "haute tension" :

> « Pourtant, gare ! Il ne s'agit pas d'arc bandé (figure héraclitéenne, habituelle dans Char et Camus). Non pas l'arc bandé, ni la vibration de la flèche : mais un monument qui résonne. Si c'est bandé, ce n'est pas comme un arc, mais comme une lyre, accordée, comme un instrument de musique ». (*PM*, p. 72.)

Dans ces conditions, il ne s'agit pas tant de Raison que de Réson. On passe de la Raison pensante à une réson plus "lyrique", à condition toutefois que ce lyrique ne sépare pas du "gnomique"[34]. Ce n'est pas l'effusion, mais le son contraint le plus juste, celui de l'accord parfait :

> « Cette vibration de la corde la plus tendue, c'est exactement ce tremblement passionné, ce *trem-*

blement de certitude que P. jugeait odieux chez moi, lorsque je venais de lui apporter mes "Proêmes" ». (*PM*, p. 215.)

C'est le tremblement du croyant, qui voit sa vérité, qui entend son verbe fait Dieu ; mais ici le Dieu chrétien de Claudel est absent.

Dans la perspective de cette raison, et par rapport à la rhétorique, on peut se demander la part donnée aux fameuses règles. Ponge admirant le classicisme de Malherbe face au "Python baroque", leur devait considération. De fait, il éprouve le besoin d'un frein à l'exubérance. Pour lui également, la Raison dompte les Sentiments. Autrement dit : "Pas de *réson* sans raison"[35]. A l'instar de Braque, Ponge "aime la règle qui corrige l'émotion"[36]. Il s'oppose donc aux surréalistes et en particulier à la définition que Breton donne du surréalisme, puisque celui-ci y prône "l'absence de tout contrôle exercé par la raison" et y défend un automatisme psychique difficile. Ponge se rallie plus à un rationalisme cher au XVIIIe siècle :

« Point de *dérèglement*, mais, au contraire, *un règlement de tous les sens* par "le plus parfait, le plus noble et le plus exquis" *d'entre eux* : "la Raison", comme l'a admirablement définie Montesquieu ». (*AC*, p. 352.)

On distingue alors les règles habituelles et "*nos* règles véritables". Les premières sont classiques et apparemment la liberté dans l'art souhaitée par les surréalistes tendrait à les éliminer. Illusion, que les surréalistes ont résolue à leur façon, soit en présentant une poésie bien traditionnelle dans ses formes (Aragon ou Eluard par exemple), soit en retrouvant, par de judicieux et difficiles contours, les nécessités de la métrique ou de la prose rythmée. Ponge voit dans les règles non un obstacle, mais une aide, une garantie nécessaire :

« Les impératifs techniques (rimes rares et stériles, césures, pas de hiatus, strophes à sens complets,

sonnets réguliers, etc.) ne servent au fond que de clefs de tension.
« On finit par les transgresser s'il le faut ».[37]

Autrement dit, les règles empêchent l'exubérance, les écarts dûs à quelque délire émotionnel, ou tout simplement à la facilité. Elles agissent donc comme un "frein"[38] permettant de garder en réserve ses forces, et apprenant la vertu suprême de la maîtrise :

> « Il me semble que les règles (exigences techniques) sont posées d'abord comme impératives, pour que la difficulté qu'elles soulèvent, l'obstacle qu'elles dressent, oblige à piétiner, à marquer le pas, à faire comme on dit du "sur place" (...), pour obliger à *attendre*, je crois que *c'est le moyen* d'attendre (...), d'attendre au besoin d'autres tours (...). Pour créer une accumulation de forces ».[39]

Un moyen qui, par cette attente bien mesurée, permet d'atteindre la sommet, la "capacité pure"[40], mais à condition de ne pas oublier que le cristal est fragile et que toute résonance un peu trop forte conduit irrémédiablement à la rupture :

> « Car il semble qu'il suffirait de prononcer très fort ou très intensément le mot VERRE en présence de l'objet qu'il désigne pour que la matière de l'objet, violemment secouée par les vibrations de la voix prononçant son nom, l'objet lui-même vole en éclats ».[41]

Et il n'est pas facile de trouver la juste mesure, la tension maxima à ne pas dépasser. Certains savent combien l'incantation ne se laisse pas enfermer dans le chant strict d'un sonnet :

> « Mon verre s'est brisé comme un éclat de rire... ».

Quant aux règles véritables, « ce ne sont que des censures instinctives »[42], un moyen de rester fidèle à l'intention première. Les règles traditionnelles, loin d'être rejetées, viendront tout naturellement donner la preuve que l'on est bien sur la bonne voie, que l'on ne trahit en aucune manière l'objet ou le langage :

> « Quant à moi, je dirai en effet qu'est poète celui qui a tellement fort quelque chose à dire, quelque émotion à communiquer, qu'il peut s'opposer toutes les règles, tous les obstacles, toutes les difficultés possibles, il n'oubliera jamais *ce* qu'il voulait dire et il finira toujours par le dire, par le faire passer comme une évidence ». (*PM*, p. 255.)

Et finalement, les règles habituelles auront le même sort que la rhétorique ; on en montrera l'utilité, mais aussi les limites : on abolira leur dogmatisme, on les désaffublera. Ponge se sépare alors de Valéry qui pensait qu' « est poète celui auquel la difficulté inhérente à son art donne des idées »[43]. La règle ne crée pas des idées, elle leur fait "tenir le coup" et contribue ainsi à leur existence. Une fois de plus, Ponge affirme son amour sans concession de l'objet, et l'asymptote maxima recherchée dans l'expression :

> « Ce sont tout à la fois *la violence du désir* et *la hauteur* (l'éloignement extraordinaire, l'altitude *impossible*) de *l'objet* qui maintiennent la parole *en forme.* Beaucoup plus encore que les contraintes techniques (voilà où je ne suis pas tout à fait d'accord avec Valéry et la théorie classiciste traditionnelle) (...) La violence même de nos intuitions nous maintient en forme. *Non les règles* ».[44]

Tout au plus alors les règles seront ramenées (à juste titre, sémantiquement et méthodologiquement) à des menstrues, preuves qu'une procréation est encore possible :

> « Quand je ne serai plus capable de ces saignées critiques, plus astreint à ces hémorragies périodiques, il est à craindre que cela signifie que je ne suis plus capable non plus d'aucune œuvre poétique... ».[45]

Telles sont les contraintes qui fondent l'artiste ; douleurs sans doute, mais qui conduisent à un plaisir authentiquement épicurien. On peut désormais voir quelle réalité offre le mot.

NOTES :

1. Phrase de Boileau citée par Ponge dans l'avant-propos de CFPP, *p.6. Ponge insiste lui-même sur le* "quelque chose à dire", PM, *p. 285.*
2. "Des raisons d'écrire", Proêmes *in* TP, *p. 185 (*PPC, *p. 162-163).*
3. "Pages bis" Proêmes *in* TP, *p. 229 (*PPC, *p. 202).*
4. "Les Ecuries d'Augias" Proêmes *in* TP, *p. 176 (*PPC, *p. 156).*
5. "Tentative orale" in GRM, *p. 275 (*M, *p. 281).*
6. "Braque, un méditatif à l'œuvre" in AC, p. 311.
7. "De la nature morte et de Chardin", NR, *p. 171 (*AC, *p. 232).*
8. "Le Carnet du bois de pins" in RE, *p. 145 (*TP, *p. 360).*
9. "Des raisons d'écrire" Proêmes *in* TP, *p. 185 (*PPC, *p. 163).*
10. "Pages bis" Proêmes *in* TP, *p. 205 (*PPC, *p. 181).*
*11. Idem p. 206 (*PPC, *p. 182).*
12. "Des raisons d'écrire" Proêmes *in* TP, *p. 186 (*PPC, *p. 163-164).*
13. "Rhétorique" Proêmes *in* TP, *p. 177 (*PPC, *p. 157).*
14. "Pas et le saut" Proêmes *in* TP, *p. 134-135 (*PPC, *p. 118).*
15. "La Pratique de la littérature" in GRM, *p. 266 (*M, *p. 272).*
16. "Notes d'un poème (sur Mallarmé)" Proêmes *in* TP, *p. 155 (*PPC, *p. 136). Même valeur* pratique *dans* "Pratique d'écriture", *p. 70.*
17. "Texte sur Picasso" in AC, *p. 341.*
18. "La Mounine" in RE, *p. 206 (*TP, *p. 408).*
19. PM, *p. 255.*
20. "La Pratique de la littérature" in GRM, *p. 277 (*M, *p. 283-284).*
21. PM, *p. 169.*
22. « Voici quelques hâtifs croquis pour un "portrait complet" de Denis Roche » (sic) in TXT, *n°6-7, p. 20.*
23. "My Creative Method" in GRM, *p. 40-41 (*M, *p. 41-42).*
24. Le Marteau sans maître suivi de Moulin premier, *p. 137.*
25. "My Creative Method" in GRM, *p. 37 (*M, *p. 38).*
*26. Idem ; "Science par excellence" dit Ponge (*AC, *p. 310).*
27. "La Mounine" in RE, *p. 202 (*TP, *p. 406).*
28. "Le Carnet du bois de pins" in RE, *p. 170-171 (*TP, *p. 380).*
29. "La Mounine" in RE, *p. 200 (*TP, *p. 404). Même leçon dans* Pratiques d'écriture, *p. 69 sqq.*
30. "Le monde muet est notre seule patrie" in GRM, *p. 196 (*M, *p. 203).*
31. PM, *p. 306.*
32. "Le monde muet est notre seule patrie" in GRM, *p. 197 (*M, *p. 205).*
33. PM, *p. 239.*
34. PM, *p. 169.*
35. EB, *p. 18.*
36. PM, *p. 310.*

37. PM, *p. 253.*
38. Pour Marcel Spada, *p. 4.*
39. PM, *p. 246.*
40. "Le verre d'eau" in GRM, *p. 116 (*M, *p. 119).*
*41. Idem, p. 127 (*M, *p. 131).*
42. PM, *p. 253.*
43. Idem.
44. PM, *p. 181.*
45. "Pages bis" Proêmes *in* TP, *p. 230 (*PPC, *p. 203).*

2. Les « qualités » du mot

Il faut d'abord reconnaître que, quoi qu'on fasse et évidemment quoi qu'on dise, on passe nécessairement par le mot. C'est une enveloppe dont on ne sait et dont on ne saurait se dispenser :

> « La langue que nous employons, le français, cette langue nous comprend beaucoup plus que nous la comprenons? »[1]

C'est pourquoi Francis Ponge a recours à cette matière et fait appel à tous les éléments qui constituent le langage. Tant il est vrai que le mot comme les choses a du « caractère », qu'il offre un riche jardin dans sa composition comme dans son histoire :

> « Ô draperies des mots, assemblages de l'art littéraire, ô massifs, ô pluriels, parterres de voyelles colorées, décors des lignes, ombres de la muette, boucles superbes des consonnes, architectures, fioritures des points et des signes brefs, à mon secours ! »[2]

Il convient donc de voir les vertus de ce matériel, pour connaître ses possibilités de débarrasser ce jardin du rocher mallarméen, devenu chez Ponge « un étrange et quasi *impossible* caillou »[3]

Le pouvoir du mot

Le mot est difficile à saisir ; il est comme la langue, la meilleure et la pire des choses, d'autant qu'il n'y a pas un mot mais plusieurs, et que chacun n'a pas la même valeur, celle-ci venant des rapports du mot avec ce qu'il représente, c'est-à-dire des rapports entre le signifiant et le signifié, mais pouvant aussi venir des seules qualités (phoniques ou graphiques) du signifiant, ou de celles du signifié (sémantisme). Pour Ponge donc, certains mots se présentent comme auréolés d'une perfection. C'est le cas de l'hirondelle :

> « *L'Hirondelle* : mot excellent ; bien mieux qu'*aronde*, instinctivement répudié. »[4]

Certains mots sont même si parfaits qu'à eux seuls ils sont tout un poème, qu'ils répondent exactement au référent et qu'on est condamné à une simple nomination annihilant toute autre écriture, parce qu'elle offre déjà une forme close :

> « Peut-être, ce qui rend si difficile mon travail, est-ce que le nom du mimosa est déjà parfait. Connaissant et l'arbuste et le nom du mimosa, il devient difficile de trouver mieux pour définir la chose que ce nom même.
>
> « Il semble qu'il lui soit parfaitement *appliqué*, que la chose ici ait déjà touché des deux épaules... »[5]

C'est dans ce sens que Francis Ponge a parlé, dans plusieurs textes, du cri de l'homme primitif : celui-ci réduit à une simple onomatopée renvoie bien au concept du référent et il montre les aspects de « la parole à son état naissant : la distinction, la désignation, la nomination de la chose. »[6] Il peut même y avoir plus dans cette communication, et Ponge montre que dans la nomination du tigre, par exemple, il peut y avoir aussi l'expression de la peur :

> « ...Si bien qu'il suffit peut-être de *nommer* quoi que ce soit — d'une certaine manière — pour *exprimer* tout de l'homme... »[7]

Mais ce serait considérablement réduire la tâche de l'écriture que de lui assigner cette seule besogne ; Ponge ne s'y trompe pas qui n'en est pas resté à la contemplation du mot, et il nous faut impérativement achever la citation précédente du « mimosa » :

> « Mais non ! Quelle idée ! Puis s'agit-il tellement de le définir ? »[8]

Car, une fois encore, le mot trompe trop bien son monde. Il n'est pas un acquis parfait ; il est plutôt une matière, certes riche, à façonner, à corriger en raison de ses lacunes présentes :

> « J'avais compté d'abord beaucoup sur les mots. Jusqu'à ce qu'une espèce de corps me sembla sortir *plutôt de leurs lacunes*. Celui-là, lorsque je l'eus reconnu, je le portai au jour. »[9]

Dès lors, toute écriture devient une contre-écriture ; il ne s'agit que de compléter ou de rectifier le donné du mot. A la simplicité outrancière du verbe, il faut opposer une attitude de récréation, c'est-à-dire de régénération et de jubilation. Il ne faut pas enfermer dans les significations mais faire vivre :

N.B.

> « Quant aux qualités de l'objet qui ne dépendent pas tant de son nom que de tout autre chose, ma tentative d'expression de ces qualités doit se produire plutôt « contre le mot » qui les offusquerait, qui tendrait à les annihiler, remplacer, précipitamment emboîter (mettre en boîte), après les avoir simplifiées, pliées, condensées exagérément. »[10]

D'ailleurs l'expérience courante montre que pour un homme moyen l'idée d'un objet se fait spontanément, même si elle ne conduit pas à une expression (et Ponge regrette que sa concierge ne puisse "sortir de sa tête" toutes ses connaissances sur le balai ou le facteur[11]. Cette idée agit donc et refuse tout a priori de la parole :

> « D'où vient cette idée, à laquelle ne correspond encore aucun mot, qui se forme *contre* la simpli-

> cité abusive du mot qui désigne communément jusqu'alors la chose ? »[12]

Tous ces problèmes du mot nous renvoient au fameux *Cratyle* de Platon et aux deux problèmes importants traités par Socrate dans ce livre : l'arbitraire du signe, et la connaissance du réel plus essentielle que la réflexion sur les mots. Nous savons que pour Ponge les deux problèmes ne peuvent être séparés :

> « PARTI PRIS DES CHOSES *égale* COMPTE TENU DES MOTS »[13]

Mais ce qui est plus essentiel, c'est de dire que le mot est avant tout une matière vivante, par conséquent en rien définitive, que c'est même une « figure, une personne à trois dimensions »[14]. Ponge considère donc dans sa création que le mot est en exercice, à venir ; il en donne une vue bien plus « pratique » qu'essentielle, ou plutôt chacun de ses éléments est vu dans ses capacités futures. C'est en ce sens que l'on peut suivre la juste analyse de Marcel Spada qui préfigure la tâche pongienne :

> « Peu préoccupé par l'éternelle querelle du *Cratyle*, Ponge s'intéresse moins au problème de l'arbitraire du signe qu'à la complexité spécifique du vocable et remonte à un concret primitif qui doit replacer le mot dans le bon sens — direction et action. Mais il n'existe pas pour lui de langue divine, de vertu métaphysique ou kabbaliste dans la lettre. La langue parfaite n'est pas derrière nous, seul le travail continu des écrivains fonde un rapport nécessaire entre le mot et l'objet. » (P. 54.)

C'est de ce rapport qu'il sera question plus tard, mais il est temps de préciser les « trois dimensions » du mot.

Les pouvoirs du signifiant et du signifié

La première dimension est peut-être celle qui donne le mieux la conscience de la matérialité du signifiant : c'est le graphisme, auquel les époques ont accordé une attention diverse. Né des fameux idéogrammes, la lettre a eu une grande fortune au Moyen Age avec les enluminures et a pu influencer les écrivains. Le XVIe siècle, notamment Rabelais, a su profiter des apports de l'imprimerie. Plus récemment, certains auteurs se sont signalés par leurs recherches : Victor Hugo d'abord, puis Claudel. Apollinaire est sans doute plus connu pour avoir mis en valeur le Calligramme et, depuis, la fortune du graphisme n'a fait que grandir, en raison des nouveaux pouvoirs découverts dans le signe. Ponge, à l'affût de toutes les possibilités du langage, ne pouvait ignorer cette chance, tout en restant prudent sur son usage. Il en proclame donc le haut intérêt :

> « *La matérialité de l'écriture*, du graphisme — et non d'un graphisme individuel (manuscrit autographe), mais d'un graphisme commun (calligraphie ou typographie) : voilà ce qui nous la fait *aimer*, désirer, et — intellectuellement, ensuite — considérer comme importante (essentielle). » (*FP*, p. 27.)

Deux vertus premières permettent de comprendre l'attirance vers la lettre. Tout d'abord écrire, c'est inscrire, c'est marquer avec un style, c'est graver « dans la pierre ou sur la cire, ou dans la glaise des tablettes »[15]. L'auteur de « Matière et mémoire » ne pouvait l'oublier, et encore moins l'homme marqué par sa culture latine et par conséquent sensible aux inscriptions, aux « beaux textes en langue morte », aux stèles antiques qui ravissent le moindre épigraphiste et qui évoquent tant la rigueur des lois que l'émotion profonde en face d'un cher disparu. Autrement dit, la lettre a pleinement du caractère.

Mais plus encore Ponge est sensible au fait que le graphisme fait ressembler un texte à “un grimoire”[16], ou mieux encore à une peinture. C'est en ce sens qu'on peut reconnaître la valeur de l'idéogramme. Ponge constate le profond intérêt de l'écriture chinoise, et souligne la grande parenté qui peut unir la peinture et la poésie. Car tout texte peut, grâce au pouvoir de la lettre, être d'abord une peinture réduite ; on peut aussi bien faire un tableau qu'un texte pour montrer « l'homme à grands traits ». Car le trait exprime autant le tracé du dessin que la trame du dessein poétique, représenté souvent par la forme des vers, les blancs. C'est en tout cas ce que montre bien Claudel dans ses *Réflexions sur la poésie* ; c'est également ce qu'exprime Ponge, mais de façon moins systématique et moins cabalistique, conscient de l'accord nécessaire entre l'écrit et le dit, et sachant qu'il y a plus de matière dans le mot que d'absolu :

> « Le mot est le carrefour de l'idée et de la matière. »[17]

Y a-t-il alors calligramme dans les textes de Ponge ? J.-M. Gleize et B. Veck prétendent un peu catégoriquement qu'il le « récuse absolument » notant plus justement qu'il y a plus d' « *allusion* imitative » que d' « *illusion* représentative »[18]. De fait il y a de nombreux calligrammes dans l'œuvre de Ponge, mais ils sont effectivement "discrets", cachés, présents mais pas affichés, comme si leur présence naturelle et obligatoire, par l'essence du mot conduisait à leur utilisation mais en même temps à une réserve, une retenue sur leur exploitation. En sorte que, selon une image chère à Ponge, ils sont plutôt à l'intérieur qu'à l'extérieur.

Le calligramme ou l'idéogramme peut donc porter d'abord sur la forme d'une lettre prédestinée à la représentation du référent. Les exemples sont nombreux et les différents critiques ont pu en montrer la variété, principalement entre voyelles et consonnes. C'est le O "de la bouche et du sexe" dans les *Paroles à propos des nus de Fautrier*, les pointes du 14 Juillet...

C'est le U profond de la cruche ou le V du verre, que Ponge se plaît à faire remarquer, justement parce qu'ils sont bien remarquables, et que justement il faut souligner ce cliché graphique tout à fait opportun et proche de l'idéogramme.

Il en est d'autres moins apparents, qu'on peut découvrir après coup avec la joie ou l'amusement de celui qui trouve le dessin caché. Ponge signale ainsi les doubles lettres de son "Huître" montrant les deux coquilles et « le côté feuilleté de la coquille de l'huître »[19].

Dans *L'Appareil du téléphone* on voit une autre exploitation de la lettre, qui figure cette fois deux éléments. C'est le "y" qui peut bien représenter en raccourci le récepteur (surtout des anciens appareils de téléphone) accroché au socle du mur. Ce peut être aussi (et un artifice stylistique nous y invite) la "cerise de nickel" qui par ses vibrations frappe les deux "seins" de la sonnette-sirène, la "cerise de nickel, *y* pendante"[20].

Parfois c'est non seulement une lettre, mais un ensemble qui a une valeur picturale. Il est à remarquer que, malgré des possibilités d'application différentes selon les mots, il existe des constantes : les voyelles représentent une matière moins solide, plus souple que les consonnes ; mais on différencie les liquides et les occlusives ou les vibrantes, ce qui n'est pas indifférent quand on regarde la matérialité d'un signifiant ; c'est le cas de l'oiseau :

> « *Le mot* OISEAU : il contient *toutes les voyelles.* Très bien, j'approuve. Mais, à la place de l's, comme seule consonne, j'aurais préféré l'L de l'aile : OILEAU, ou le v du bréchet, le v des ailes déployées, le v d'*avis* : OIVEAU. Le populaire dit *zozio.* L's je vois bien qu'il ressemble au profil de l'oiseau au repos. Et *oi* et *eau* de chaque côté de l's, ce sont les deux gras filets de viande qui entourent le bréchet. »[21]

Dans une autre page célèbre, Ponge se félicite de la composition de l'expression VERRE D'EAU. Après avoir noté le côté symétrique des deux syllabes ER et RE, il en vient au deuxième élément EAU :

> « Eh bien, EAU à cette place est très bien aussi : à cause d'abord des voyelles qui le forment. Dont

> la première, le E, venant après celui répété qui est dans le VERRE, rend bien compte de la parenté de matière entre le contenant et le contenu. »[22]

Rien d'étonnant que dans le même texte, Ponge en vienne à célébrer les vertus du B-A : BA du langage. La simplicité syllabique des premières lectures en fait un parfait matériau pour exprimer la pureté simple mais si riche du moindre VERRE D'EAU :

> « ÇA VA ? VI, VA, VU ?
> C'EST LU ? LI, LA, LU ?
> C'EST BI ?
> C'EST BA ?
> C'EST BU ? »[23]

Et il n'est jusqu'aux signes diacritiques où il ne faille aller ; car ils sont plus que de simples accents : ils sont pour la vue et l'esprit l'obligation de distinguer un "é" ou un "è", donc de porter attention à ce caractère du texte, en en modifiant le sens, c'est-à-dire tant la signification que l'intention. De cette volonté, le "é" du pré est un bon témoignage, tant il oblige le lecteur à observer l'accent et surtout à faire une *contre*-lecture, entendons lecture à l'envers et contre l'ordinaire, preuve nécessaire que l'auteur ne se laisse pas séduire par le jeu facile du calligramme, sans en prévenir les inconvénients, sans obliger l'esprit à se ressaisir :

> « L'oiseau qui le survole en sens inverse de l'écriture
> Nous rappelle au concret, et sa contradiction
> Accentuant du pré la note différentielle
> Quand à tels près ou prêt, et au prai de prairie,
> Sonne brève et aiguë comme une déchirure
> Dans le ciel trop serein des significations. »[24]

Quant à l'accent grave, il peut représenter autre chose qu'un seul phonème (même imitatif) ; ce trait spécial dans le dessin du mot permet une différenciation, c'est-à-dire aussi un rapprochement avec des mots de dessin identique (cheveu, cheval), et même caché dans son synonyme tabouret, le chevalet pas très loin d'une chèvre à lait... :

> « Pour saisir l'occasion verbale par les cheveux — donnons, le menton haut, à entendre que chèvre, non loin de cheval, mais féminin à l'accent grave, n'en est qu'une modification, modulée, qui ne cavale ni ne dévale mais grimpe plutôt, par sa dernière syllabe, ces roches abruptes, jusqu'à l'aire d'envol, au nid en suspension de la muette. »[25]

Il ne faut pas oublier la barbichette, ne serait-ce que pour mieux marquer l'intertextualité avec la chèvre de Monsieur Seguin et l'originalité séculaire de cet animal mythologique :

> « *L'accent grave* est très important (bêlement, différence avec cheval, barbichette, etc.). Aussi le caractère choisi devra-t-il être tel que cet accent y ait une valeur qui me satisfasse. »[26]

Car, il faut le dire, Francis Ponge attache une très grande importance à la typographie, et nos machines à écrire sont bien pauvres pour rendre toute la variété voulue dans certains textes : mots en caractères gras, mots en italique, mots en majuscules, rien n'y suffit. Pour l'abricot, comme faire pour que « l'*a* du caractère choisi ressemble autant que possible à mon fruit »[27] ? Et même si Ponge dit vouloir faire des textes en "fruit déguisé" comme ces Assyriens "avec leurs trois sss" rappelant « un peigne passant difficilement dans une toison bouclée »[28], on peut se demander si ce n'est pas par une complaisance, voire un vice, que l'auteur se livre à cette "chienlit" de l'écriture. Or c'est précisément cette obsession que l'on trouve chez ce "vicieux" des *Fables logiques* :

> « Dans le mot SOUVENIR par exemple, il voyait bien plutôt un être particulier dont la forme était dessinée en noir sur le papier par la plume selon la courbe des lettres, le dessin grandeur nature d'un être de deux centimètres environ, pourvu d'un point

sur l'i, etc. enfin tout plutôt que la signification du mot "souvenir". »[29]

Ne nous y trompons cependant pas ; le signifié persiste, mais pour Ponge « au commencement était le Verbe », le signifiant qui a l'air de commander le signifié... Cette importance typographique, on la trouve donc aux moments essentiels, comme celui de la mort. Là elle se substitue à la méditation métaphysique ; la typographie devient alors éthique et esthétique :

> « Messieurs les typographes,
> Placez donc ici, je vous prie, le trait final.
>
> « Puis, dessous, sans le moindre interligne, couchez mon nom,
> Pris dans le bas-de-casse, naturellement,
>
> Sauf les initiales, bien sûr,
> Puisque ce sont aussi celles
> Du Fenouil et de la Prêle
> Qui demain croîtront dessus.
> Francis Ponge »[30]

Et Ponge a donné son art poétique en la matière dans son texte *Proclamation et petit four* où il montre l'importance d'une littérature par l'image, donc visuelle, qui rend si nécessaire notre orthographe :

> « Mais point de doute, non plus, il me semble que devant nos yeux elle passe de moins en moins sous la forme manuscrite.
> « Pratiquement, les notions de littérature et de typographie à présent se recouvrent (non du tout, évidemment, que toute typographie soit littérature : mais l'inverse, oui, c'est très sûr). »[31]

En tout cas, ce que l'on peut dire, c'est que Ponge doit s'astreindre à une rigueur extrême pour extraire du donné graphique tout ce qu'il peut apporter à la désignation. C'est certainement plus examiné que les noms de Proust, où le son domine et où la typographie semble intervenir plus arbitrairement, comme dans Vitré.

Mais, pour ne pas résister au plaisir du vice, il nous faut absolument mentionner le rôle de la ponctuation, qui n'a pas pour seul rôle de séparer les syntagmes. Les deux signes les plus employés sont les points de suspension et les tirets. Les points représentent, selon Spada, la "mixtion du chien" ou "les balles de chevrotine". Ils peuvent être en d'autres occasions les miettes de pain, les olives au bord de l'assiette, ou même le crottin... Quant aux tirets, ils sont tour à tour les éléments de la toile d'araignée, les alevins des bans de poissons, ou les crevettes dans l'immensité marine. Il nous faut dire aussi deux mots du point d'interrogation qui permet à Francis Ponge une belle réussite en matière de représentation imitative. Il s'agit du cheval. Il faut rappeler au préalable que les beaux chevaux sont arabes. Après quoi, on peut présenter la description de Ponge :

> « Un splendide derrière de courtisane, en cœur épanoui, sur des jambes nerveuses élégamment terminées vers le bas par des sabots très hauts de talon. »[32]

L'allusion sera parfaite, pour peu que l'on juxtapose un point d'interrogation français et un point d'interrogation arabe (à l'envers)...

Dès lors, il n'y a plus à s'étonner si le livre *Pour un Malherbe* comprend juste 333 pages ; si la *Fabrique du pré* est d'ocre et de vert ; si *Comment une figue de paroles et pourquoi* présente une couverture aux lettres et aux tons choisis[33].

La deuxième dimension est phonique et l'on pourrait en cette matière faire une analyse aussi importante que pour le graphème, encore que le lecteur soit plus habitué au jeu des allitérations, des assonances, plus sensible à l'harmonie imitative. Ponge n'abuse d'ailleurs pas du procédé, sauf peut-être pour les calembours ou les contrepèteries qu'il nous faudra voir à part.

Le mot qui désigne l'objet peut avoir une sonorité évoquant au mieux l'animal. C'est le cas de la chèvre déjà citée, où le "è" évoque bien sûr le bêlement. La chose elle aussi a ses sons ; le mot cruche n'est pas sans richesse :

> « Pas d'autre mot qui sonne comme une cruche. Grâce à cet U qui s'ouvre en son milieu, cruche est plus que creux et l'est à sa façon. C'est un creux entouré d'une terre fragile : rugueuse et fêlable à merci.»[34]

C'est en général du pouvoir de l'harmonie imitative que Ponge use. L'assonance est alors fréquente pour évoquer les bruits des animaux : cris ou bruits plus discrets. Et tout d'abord le chien, dont le texte se présente comme un cryptogramme (ce qui est rare dans l'œuvre de Ponge) ; l'aboiement en tout cas n'est pas difficile à repérer :

> « Libre en allant je lis beaucoup, m'efforce par dev*oi*r de penser par ma f*oi* par deux f*oi*s sur ces traces. »[35]

Les insectes, surtout ailés, qui donnent son à notre monde sont bien sûr une source importante d'allitérations, et il n'y a pas spécialement originalité à imiter par les lettres leur bourdonnement. Mais ce qui est plus intéressant, c'est de voir combien l'harmonie imitative renvoie simultanément au référent signifié et au texte signifiant. Deux cas sont particuliérement nets : celui d'abord des pauvres insectes pris dans la toile d'araignée, entendons des lecteurs pris dans la toile de l'auteur :

> « FREDONS, BILLEVESÉES, SCHÈMES EN ZIZANIE ! »[36]

Il n'est pas indifférent de constater que l'homophonie peut avoir un rôle dans la création littéraire. En effet, un mot peut par sa seule sonorité en appeler un autre, et ce qui n'est d'abord qu'homéotéleuthe, finit par devenir un élément porteur de sens. Ainsi le lézard peut graphiquement et phonétiquement définir ses qualités :

> « Le LÉZARD dans le monde des mots n'a pour rien ce *zède* ou *zèle* tortillard, et pas pour rien sa désinence en *ard*, comme fuyard, flemmard, musard, pendard, hagard. »[37]

Mais souvent Ponge préfère étendre l'homophonie à un ensemble de lettres plus important, et se livrer à la paronomase. C'est un procédé assez fréquent dans la poésie moderne ; bien des auteurs en ont usé et abusé, surtout depuis la génération dadaïste et surréaliste. Dans le goût de son temps, on ne voit pas pourquoi Ponge s'en serait privé. Certains exemples paraîtront peut-être, comme pour d'autres auteurs, un peu surfaits. Il est pourtant rare que ce procédé ne trouve une justification a posteriori dans le contexte. Ainsi le rapprochement "m'abuse" avec "buse" fait état d'une autocritique (l'auteur s'est laissé abuser), il est un peu buse, ce qui ne convient pas mal dans un texte sur les oiseaux[38]. Ponge aime bien le procédé aussi pour les noms propres, mais à condition de ne pas perdre sincérité et vérité. Braque est à rapprocher de Bach (ce qui est flatteur), de baroque (ce qui est encore esthétique, mais un autre ordre d'art) et de la barque, ce que Ponge justifie en remontant aux éléments alphabétiques du mot[39]. Cet exemple montre aussi que souvent les paronymes sont soumis simultanément à la contrepèterie. Ainsi, l'olive ne va pas sans ovale, ainsi, avec d'autres implications, on passe de "Ça bat un volet" à "Stabat un volet". Ponge n'hésite même pas à se forger des mots par superposition homophonique, comme en témoigne la fameuse "amphibiguïté", mélange automnal de l'ambiguïté et de l'amphibie[40]. Même un mot existant est assimilé à un mot-valise. Tel est le cageot :

> « A mi-chemin de la cage au cachot la langue française a cageot. »[41]

Et à ceux que finirait par déplaire la musique un peu fastidieuse de ce “concert des vocables”, Ponge répond en donnant l’exemple de Malherbe, dont l’esthétique vaut et dépasse bien d’autres :

« La profusion, la génialité des métaphores remplacées par valeurs verbales pures (syllabes tonales, éléments du concert des vocables).

« *Figures* rhétoriques remplacées par *valeurs* purement verbales (sonores et visuelles) à l’intérieur des mots d’une seule *figure*.

« Il choisit *une* métaphore et s’y tient, mais le travail verbal (musicien et coloriste des syllabes) est tel, que *cette* corde sensible REND, en harmoniques, toutes les variétés possibles de métaphores, qu’il supprime. »[42].

La troisième dimension est la signification. Elle est aussi dangereuse qu’essentielle, et complète nécessairement les deux autres. Pas de déification, cependant ; “ce n’est qu’une chose”, un élément matériel dont le côté concret apparaît dans les lexiques[43]. Ce matérialisme sémantique, comme l’a défini René de Solier, est tout un monde, qui, nous l’avons vu, prend forme et son dans la page, et qui va exister en parallèle avec le monde physique :

« Je suis sensible, si vous voulez, à la réalité, à l’évidence, à l’épaisseur de ce monde verbal, au moins autant qu’à celui des objets du monde physique. » (*EPS*, p. 169.)

Cependant cette matière apparaît comme mystérieuse et d’une richesse étonnante pour qui sait la découvrir ; c’est donc une “chose très importante (...) qui fait la supériorité de la parole et de la poésie”[44]. Trois éléments créent cette valeur dans l’œuvre de Ponge : l’histoire, la mythologie, et l’intertextualité. L’histoire donne une vision diachronique du langage et oblige à tenir compte d’une part essentielle, à savoir l’étymologie. C’est en effet “la science” la “plus nécessaire” au poète[45], car là se trouve le mystère des premiers temps, celui de la création, celui de nos plus anciens ancêtres (personnes et mots), qui permettent de reconstituer l'arbre "géné-analogique"[46]. On est donc obligé de fouiller jusqu'aux racines :

> « *Racines*, qui me semblent un peu comme le *tronc* des mots, comme le nœud de leur être, leur noyau, leur partie la plus essentielle et la plus dure, la plus solide. » (*PM*, p. 187.)

Ces racines sont données par les dictionnaires ; Ponge préfère de longue date le Littré qui fait toujours une part importante à l'étymologie (parfois discutable), et qui était le seul ouvrage disponible dans les années de la création de l'auteur. Depuis quelques années, il n'hésite pas à puiser ailleurs, même dans des dictionnaires étrangers. Mais le Littré reste par sa trame, ses citations, son charme de l'explication, l'outil préféré. Cependant la culture humaniste de Ponge l'a conduit à des analyses nombreuses sur la langue latine, et moins souvent sur la grecque. Sa connaissance étonnante de Tacite, de Lucrèce, ou d'Horace prouve sa compétence en la matière, même si les données philologiques ne sont pas souvent commentées, sauf pour *Le Pré*. Mais il peut arriver que Ponge exprime son intérêt pour toutes les souches, y compris les plus anciennes, les "souches védiques"[47]. Car c'est là, dans ce creuset, que tout se forme :

> « Il s'agit du surgissement à la fois des choses et de la parole ; du moment où la nécessité de désigner, c'est-à-dire de distinguer du chaos une chose, et, en même temps, d'exprimer un sentiment. »[48]

Souvent Ponge n'hésite pas à donner et à commenter ces étymologies. Ces textes offrent même des pages entières. Simple remplissage ? Non, car il n'y a pas qu'un simple relevé ; il s'agit de porter à la connaissance la matière du travail, de montrer tous les éléments disponibles, la richesse insoupçonnée du donné, mais aussi souvent la difficulté d'en tirer un élément utile, ou plutôt souhaité ; car le dictionnaire est là souvent pour confirmer une impression première tant sur l'objet que sur le mot. Mais il ne faut pas craindre, pour bien profiter des leçons du lexique, de regarder les synonymes, les homonymes et les paronymes, l'analyse étymologique réservant de multiples surprises. Les textes de "fabrique" montreront donc plus cet apport de l'étymologie. Ainsi ceux de *La Rage de l'expression* présentent de nombreuses pages sur l'appareil moteur du texte. Mais on retrouve ce procédé dans "Le Verre d'eau", "La Table" et surtout "Le Pré".

Et le mot évolue, l'histoire lui donnant une variété de sens, propres et figurés, ce qui crée ce qu'on appelle un polysémantisme. Pour un écrivain, cette multiplicité de sens peut être une gêne, car il est soumis un peu au lecteur, et éventuellement à une mauvaise interprétation de ce dernier. C'est le danger de toute écriture, qui conduit à chercher le mot juste, sans toujours le trouver. Car le langage est "un univers *fini*" qui comporte un nombre déterminé de mots[49], gardant pourtant la possibilité d'une création verbale donnée par toute langue vivante :

> « Si bien donc que chacun des objets de ce monde, c'est-à-dire chaque mot doit forcément être un *signe* pour *plusieurs* des objets du monde. Il s'agit d'un système *signifiant*. » (Id.)

C'est l'articulation des signifiés qui s'explique par l'infini de l'univers. L'écrivain doit équilibrer, il est même l'équilibriste entre ces deux mondes :

> « Cela l'amène d'une part à adopter une théorie matérialisant la nature (afin d'en faire un univers fini), d'autre part à articuler vers l'infini son langage, afin de rapprocher autant que possible ces deux mondes. »[50]

Citation qui accorderait les deux tendances de la critique pongienne, matérialisme philosophique de type épicurien, et matérialisme sémantique, lesquels ne sauraient être séparés en quelque manière.

Ponge ne va pas refuser le polysémantisme, bien au contraire. Il va en faire la pierre d'angle de nombreux textes, comme si la tâche d'un écrivain était de s'y conformer :

> « Il m'est arrivé de dire que le comble, pour un texte, serait que chacun des mots qui le composent puisse être pris dans chacune des acceptations successives que le mot a eues au cours de son histoire. C'est évidemment un comble et on ne peut y atteindre, mais on peut, peut-être, se demander le plus pour obtenir le moins. » (*EPS*, p. 170.)

De cette façon, on est plus tranquille : « Les significations ne risquent pas un jour de vous jouer un sale tour ; puisqu'elles sont toutes prévues.»[51] Y compris les significations données par les homophones et homographes.

Les exemples ne peuvent qu'abonder dans une œuvre qui s'est proposé de faire marcher toutes les ressources du langage en circuit fermé. Notre choix ne pourra qu'être subjectif, et privilégiera pour l'instant les textes où un seul mot peut avoir plusieurs acceptions. Et tout d'abord le "téléphone", appareil de communication orale. Dans le deuxième texte sur cet appareil, Ponge fait état de provocation ; le premier sens qui apparaît est à chercher dans l'étymologie : latin vocare : appeler. Pas de problème ici, le téléphone sert à appeler. Mais il fait plus même. Sa sonnerie se répète et agace, "perfore votre patient", cet acharnement pouvant faire dire à la victime que c'est de la provocation. Mais il est un autre sens que l'on ne peut oublier, puisqu'il vient d'être question de sirène : c'est celui de "exciter le désir de quelqu'un", qui, nous dit Littré, est possible pour les choses. Or la phrase qui suit ne fait que confirmer cette conjecture :

> « D'autres fois, la provocation vient de vous-même. Quand vous y tente le contraste sensuellement agréable entre la légèreté du combiné et la lourdeur du socle. »[52]

Autre exemple, celui des mûres. Il y aurait déjà bien à dire des mûres qui sont mûres. Mais justement, Ponge renchérit sur cette homonymie en y incorporant la tâche de l'écrivain. Il lui suffit de prendre un mot banal, le verbe faire. Le participe passé se trouve avoir comme signification, entre autres, celle de mûre. C'est donc aussi un synonyme. Et comme il peut, aussi, vouloir dire achevé, Ponge peut risquer le jeu :

> « Sans beaucoup d'autres qualités, — *mûres*, parfaitement elles sont mûres — comme aussi ce poème est fait. »[53]

Ce rapprochement avec l'écriture se retrouve dans "L'Huître", que Ponge commente dans ses entretiens. Le polysémantisme concerne le dernier paragraphe, particulièrement dense :

> « Parfois très rare une formule perle à leur gosier de nacre, d'où l'on trouve aussitôt à s'orner. »[54]

Trois mots retiennent l'attention ; tout d'abord "perle", car à l'emploi simple et limité du nom, Ponge a préféré le verbe ; ensuite "s'orner" qui peut renvoyer soit au cou que l'on pare de perles, soit au texte que l'on orne d'une fleur de style. Enfin il y a "formule" que Ponge commente ainsi :

> « "Une formule" : le mot est pris dans sa signification la plus complète, c'est-à-dire : qu'est-ce que c'est qu'une formule ? C'est une petite forme. C'est le diminutif de "forme". Et en même temps, bien sûr, il s'agit de la formule, au sens d'un bref énoncé, d'une chose dite de la façon la plus brève, la plus résumante possible. » (*EPS*, p. 115.)

Dans cette volonté du polysémantisme, on peut voir aussi l'attachement de Ponge au renouveau des clichés, dans des recherches qui ne sont pas sans rappeler Desnos. Il s'agit de redonner un sens plein à des expressions qui se sont figées. Ainsi dans le même texte de "L'Huître", Ponge écrit :

> « A l'intérieur l'on trouve tout un monde, à boire et à manger. »

Il y a là "deux expressions très courantes" qui retrouvent, sinon leur sens d'origine, du moins une valeur perdue ; c'est d'ailleurs sur les divers niveaux de signification que Ponge insiste dans son commentaire, preuve de l'intérêt qu'il prend à récréer le langage, à être autant poéticien que poète.

Outre le dictionnaire étymologique et analogique, Ponge sait employer, mais de façon bien moins ostentatoire, un autre dictionnaire, qui est celui de la mythologie, laquelle complète, voire remplace les données lexicales. La grenouille est ainsi appelée "une Ophélie manchote"[55].

La chèvre a elle aussi ses ancêtres, et en particulier Amalthée, qui, dans la *fable* de La Fontaine *Les Deux Chèvres*, rime avec Galatée. Et de Galatée à Galaxie, il n'y a qu'un pas celui du lait de Gala, dont Amalthée nourrit Jupiter, et qui se retrouve dans la Voie lactée, près de la constellation de La Chèvre. Ce qui nous vaut des galaxies et un regard "*fabuleusement* étoilé".

Le dernier exemple nous paraît plus intéressant encore, parce qu'il est significatif de l'esthétique de Ponge. Dans son *Texte sur l'électricité*, Ponge est pressé par l'explication scientifique du phénomème. Mais parmi les savants, il trouve Thalès, et le voilà sauvé. Il peut proclamer un eurêka bien grec. Car c'est dans cette Grèce qu'il va retrouver une mythologie avec des légendes dont il pourra montrer qu'elles sont aux portes de l'histoire et de la réalité. Ainsi la mythologie contient déjà ce que la science mettra vingt siècles à découvrir, et elle permet un texte alliant au mieux raison et réson, c'est-à-dire le charme aux convictions, la science à la poésie. Après avoir remarqué que tous les dictionnaires renvoient à Electron (ambre jaune) pour expliquer "électricité", Ponge "plus curieux" rapproche Electron d'Electre, dont il révèle la vie mouvementée, mais aussi des traits indispensables à la compréhension :

> « Fille d'Atlas, dont on sait par ailleurs qu'il portait le *ciel* sur ses épaules. Et donc petite-fille de Japet, et nièce de Prométhée (ravisseur du *feu*). (...)

> « Enfin, parmi les Danaïdes, car elle est aussi l'une de celles-ci, pourquoi ne serait-elle la même qu'Hypermnestre, seule à n'avoir pas tué son époux, Lyncée, lequel était doué d'une *vue si perçante qu'elle traversait même les murailles* ? En tout cas, ce fut elle qui apporta le Palladium à Troie, mais "apporta" qu'est-ce à dire ? Puisque nous savons que cette idole *tomba du ciel* près de la tente d'Ilos? »[57]

Une mythologie troublante, que Ponge arrange peut-être, mais sans rien inventer.

Mais, à y bien regarder, cette mythologie n'est qu'un exemple parmi d'autres de l'intertextualité, qui consiste à faire appel à d'autres textes déjà écrits, textes notamment littéraires. Dans deux analyses pénétrantes, M. Riffaterre a montré comment la plupart des textes pongiens s'expliquaient par une matrice intertextuelle, notamment les plus ésotériques[58]. Pour ce, il distingue l'intertextualité aléatoire qui "se limite à la perception de l'intertexte", laquelle varie selon le degré de culture du lecteur, et l'intertextualité obligatoire du fait que le sociolecte et le contexte laissent impossible la signification. Cette intertextualité aléatoire laisse entendre que certains textes de Ponge ne sont pas accessibles au commun des mortels, qu'ils exigent culture et réflexion ; en quelque sorte Ponge serait trop intellectuel. Ce reproche, nous l'avons entendu de la part de plusieurs lecteurs. Il nous apparaît cependant qu'il y a toujours une lecture simple de Ponge, qui fait que de jeunes enfants l'apprécient, d'autant qu'elle est aussi plaisante ; mais, il est vrai, cette lecture est incomplète, puisque cette part essentielle de l'intertextualité n'est pas perçue. En est-il autrement pour La Fontaine ? Ou il faut le réduire aux fables du style *Le Corbeau et le Renard* (difficile pourtant, si l'on en croit Rousseau), ou il faut admettre beaucoup de philosophie et aussi beaucoup d'intertextualité chez La Fontaine, qui rendent certaines fables réservées à des initiés ; ce qui n'empêche personne d'en goûter les finesses nombreuses.

Pour en revenir à l'intertextualité analysée par M. Riffaterre, nous voudrions faire d'abord remarquer que les exemples choisis sont pris parmi des ouvrages finis, c'est-à-dire dont nous n'avons pas la fabrique, ce qui rend évidemment plus difficile la perception de l'allusion, encore que Ponge se réfère souvent à des textes d'envergure. M. Riffaterre cite ainsi *La Marseillaise*.

Mais les textes de fabrique montrent bien que, la plupart du temps, Ponge emprunte ses allusions au dictionnaire Littré, et l'on peut se demander si une grande part de l'intertextualité ne serait pas à chercher dans cet ouvrage. Sans doute n'y trouvera-t-on pas le "météore" mallarméen devenu caillou chez Ponge, qui s'est sans doute souvenu aussi du rocher de Sisyphe. Un seul exemple *Le Papillon* s'éclaire par l'intertextualité signalée par M. Riffaterre. Celui-ci explique les rapports du papillon, de la fleur et de la flamme par une contiguïté métonymique.

La matrice est dans la phrase :

> « d'où les ailes symétriques flambèrent. »[59]

Apparemment une analogie qui superpose les ailes du papillon (peut-être le Grand-Flambé ?) aux ailes d'une cathédrale gothique de style flamboyant. C'est sans doute dans ce terme qu'il faut chercher l'intertextualité culturelle. Outre le style gothique, ce mot renvoie, comme substantif, à une plante exotique dont il est question dans *L'Amour fou*. Breton vient de parler du phénix (qui peut être un papillon).

> « On a dépassé la cîme des flamboyants à travers lesquels transparaît son aile pourpre et dont les mille rosaces enchevêtrées interdisent de percevoir plus longtemps la différence qui existe entre une feuille, une fleur et une flamme. » (P. 79.)

L'intertexte est donc d'abord littéraire, renvoyant, soit à des ouvrages aux sociolectes importants (Bible, Histoire, Textes patriotiques), soit à une littérature aimée par l'auteur (les latins Lucrèce et Horace, ou les classiques comme Malherbe et La Fontaine, ou les modernes comme Lautréamont et Mallarmé). L'intertextualité pongienne qui rassemble donc étymologie commentée, mythologie et fonds littéraire est bien un des éléments essentiels de la poétique de l'écrivain, et elle est à sa façon une critique nouvelle, par ces divers renvois avec ajouts ou remaniements personnels.

Tels sont les divers atouts fournis par le mot : forme graphique, phonique et sémantique. Le mélange de ces trois dimensions va permettre à cette "personne"[60] de vivre. Il nous reste à voir le fonctionnement de ces rouages, la rhétorique que les anime.

NOTES :

1. Colloque de Cerisy *p. 38, reprenant* Pour Marcel Spada *p. 6. On peut rapprocher de Jean Paulhan: « Les mots et le langage que nous servons ou plutôt qui se sert de nous. »*

2. "La Promenade dans nos serres" Proêmes, *in* TP, *p. 145 (*PPC, *p. 127).*

3. "Un rocher" Proêmes *in* TP, *p. 168 (*PPC, *p. 149).*

4. "Les Hirondelles" in GRP, *p. 190 (*P, *p. 166).*

5. "Le Mimosa" in RE, *p. 78 (TP, p. 309-310).*

6. Colloque de Cerisy, *p. 36.*

7. "Réponses à une enquête" in GRM, *p. 225 (*M, *p. 232).*

8. "Le Mimosa" in RE, *p. 78 (*TP, *p. 310).*

9. "Poésie du jeune arbre" Proêmes *in* TP, *p. 162 (*PPC, *p. 144).*

10. "My Creative Method" in GRM, *p. 35 (*M, *p. 36) ; cf. aussi* Pratiques d'écriture, *p. 19, « Que l'imparfait du signe demande lui-même humblement son pardon. »*

11. "La Pratique de la littérature" in GRM, *p. 285.*

12. "Braque le réconciliateur" Le Peintre à l'étude *in* TP, *p. 499 (*AC, *p. 63).*

13. "My Creative Method" in GRM, *p. 19 (*M, *p. 20).*

*14. Idem p. 33 (*M, *p. 34) ; c.f.* Pratiques d'écritures *p. 17 sqq. et sur la matière p. 89.*

15. TP, *p. 469 (*AC, *p. 43).*

16. EB, *p. 14.*

17. Expression employée par Francis Ponge au cours d'un de nos entretiens.

18. J.-M. Gleize et B. Veck : Francis Ponge, *p. 33. On pense encore à Claudel.*

19. Colloque de Cerisy, *p. 420.*

20. "L'appareil du téléphone" in GRP, *p. 62 (*P, *p. 57).*

21. *"Notes prises pour un oiseau" in* RE, *p. 31 (*TP, *p. 273). Ponge cite à ce propos Mallarmé : « Le mot, dit Mallarmé, présente, dans ses voyelles et ses dipthtongues, comme une chair. »* EPS, *p. 66. On remarque ici, toutefois, une confusion (souhaitée ?) entre graphisme et phonème.*
22. *"Le Verre d'eau" in* GRM, *p. 127 (*M, *p. 131).*
23. *Idem,* GRM, *p. 167 (*M, *p. 173).*
24. FP, *p. 194 (*NR, *p. 208).*
25. *"La Chèvre",* GRP, *p. 210 (*P, *p. 185).*
26. *"Proclamation et petit four",* GRM, *p. 216 (*M, *p. 223).*
27. *Ibidem.*
28. *Idem* GRM, *p. 217 (*M, *p. 224).*
29. *"Fables logiques" in* GRM, *p. 170 (*M, *p. 177).*
30. FP, *p. 195 (*NR, *p. 209).*
31. *"Proclamation et petit four" in* GRM, *p. 214-215 (*M, *p. 222).*
32. GRP, *p. 148 (*P, *p. 131).*
33. *Cf. à ce propos l'article de J.-P. Richard : "Fabrique de la figue" in* Critique *n° 397-398 (juin-juillet 1980), p. 551 sqq.*
34. *"La Cruche" in* GRP, *p. 105 (*P, *p. 94). A remarquer que poétiquement Ponge mélange sons et lettres, ce qu'un linguiste admet plus mal...*
35. *"Le Chien" in* GRP, *p. 7 (*P, *p. 7), C'est nous qui soulignons.*
36. *"L'Araignée" in* GRP, *p. 130 (*P, *p. 114).*
37. *"Le Lézard" in* GRP, *p. 95 (*P, *p. 85).*
38. *"Notes prises pour un oiseau" in* RE, *p. 37 (*TP, *p. 277).*
39. *"Braque le réconciliateur",* Le Peintre à l'étude, *in* TP, *p. 494.*
40. *"La Fin de l'automne"* PPC, *p. 33 (*TP, *p. 37).*
41. *"Le Cageot"* PPC, *p. 38 (*TP, *p. 43).*
42. PM, *p. 283.*
43. *"La Pratique de la littérature", in* GRM, *p. 274 (*M, *p. 280).*
44. *"La Pratique de la littérature" in* GRM, *p. 274 (*M, *p. 280).*
45. *"Fragments métatechniques" in* NR, *p. 15.*
46. EPS, *p. 170.*
47. Cahiers critiques de la littérature *n° 2, p. 23.*
48. Colloque de Cerisy, *p. 36. Ponge dit aussi que les racines sont le lieu « où se confondent les choses et les formulations. » "Le monde muet est notre seule patrie" in* GRM, *p. 198 (*M, *p. 205).*
49. *"Réponse à une question" in* GRM, *p. 225 (*M, *p. 232).*
50. *"La Société du génie" in* GRM, *p. 212 (*M, *p. 219).*
51. PM, *p. 187.*
52. *"L'Appareil du téléphone" in* GRM, *p. 63 (*P, *p. 57).*
53. *"Les Mûres", in* PPC, *p. 37 (*TP, *p. 41).*
54. *"L'Huître" in* PPC, *p. 43 (*TP, *p. 48).*
55. *"La Grenouille" in* GRM, *p. 59 (*P, *p. 54).*
56. *"La Chèvre" in* GRM, *p. 209 (*P, *p. 184).*
57. *"Texte sur l'électricité" in* GRM, *p. 155-156 (*L, *p. 82-83).*
58. *M. Riffaterre : "Ponge interxtextuel" in* Etudes françaises *17/1-2 avril 1981, p. 73-85.*
59. *"Le Papillon" in* PPC, *p. 56 (*TP, *p. 62).*
*(*TP, *p. 62).*
60. *"My Creative Method" in* GRM, *p. 33 (*M, *p. 34). Cf. aussi "La Pratique de la littérature" in* GRM, *p. 277 (*M, *p. 283).*

3. La rhétorique de l'objet

On peut en effet façonner la matière verbale, comme un artisan. Car il existe de nombreuses possibilités, de multiples combinaisons :

> « Bien que les mots soient en nombre limité dans chaque langue, une infinité de leurs combinaisons est encore possible, cela est évident ». (*PM*, p. 173.)

Il s'agit d'"agencer", de trouver un "agencement de mots justes". Mais la grande innovation de F. Ponge, c'est de montrer qu'il n'y a pas, une fois pour toutes, une rhétorique dont on pourrait établir les principes définitifs ou les règles permettant toujours de s'en sortir ; tout différemment, chaque objet va créer son propre style, et l'auteur fait en sorte que chaque phrase s'adapte au mieux à la chose dont il veut rendre compte :

> « Il faudrait non point même une rhétorique par auteur, mais une rhétorique par poème »[1].

Cependant, cette rhétorique se limite plus à une sémiotique qu'à un rhétorique pratiquant les tropes, car l'étude de Ponge a plus porté « sur le vocabulaire, le dictionnaire que sur la syntaxe, la grammaire » :

> « Bref, sur la matière à proprement parler plutôt que sur ses formes ou figures. Celles-ci, nous les avons pratiquées d'instinct, sans nous appliquer assez à leur étude. Ainsi sommes-nous devenus extrêmement sensibles aux vocables, aux expressions de cette langue ». (*PM*, 201.)

Il restera à déterminer si, en pratiquant le poème en prose, Ponge a suivi ou non des habitudes poétiques.

Adaptation du texte à l'objet

Notre étude sur les trois dimensions du mot nous a finalement montré une seule et même intention de la part de Ponge. C'est de faire en sorte que son texte s'adapte, par sa réalité sémantique, le plus possible à la réalité de l'objet. Tous les efforts de l'écrivain tendent à cette tâche impossible, mais dans un but : ce n'est pas l'écrivain qui impose, au contraire il s'efface au maximum, et nous avons vu comme ces calligrammes sont cachés ; son intention est autre : il faudrait en quelque sorte que l'objet puisse se mirer dans le langage, qu'il y trouve son alter ego, pour donner l'impression de son expression. C'est donc toujours l'objet qui commande, et il ne faut jamais, au cours de l'élaboration, perdre ce principe de vue :

> « Chaque objet doit imposer au poème une forme rhétorique particulière. Plus de sonnets, d'odes, d'épigrammes : la forme même du poème soit en quelque sort déterminée par son sujet ».[2]

Nous avons vu comment Ponge pratique un mélange dosé, mais efficace, des différentes données. Cependant *a priori* rien qui ne soit scientifique : le réel nous est connu par la physique, la biologie, les mots par les lexiques et la sémantique ; même la mythologie trouve confirmation dans les faits. Tout est donc déterminé par avance ; tout est objet et se prête à une analyse objective. Cependant, cette pratique n'est sans doute pas toujours aussi innocente ; le style pour un écrivain, ce n'est pas seulement une technique, c'est surtout un art. Et s'il y a poésie, c'est là qu'elle se trouve :

> « La poésie est l'art d'assembler les mots de façon à mordre dans les notions (dans le fond obscur des choses) et de s'en nourrir.

> « L'art de traiter et d'assembler les paroles de façon (par mimétisme) à permettre à l'esprit de mordre dans les choses et de s'en nourrir ».

On ne dévore pas plus un poème qu'une figue : on les savoure jusqu'à récréation :

> « Il ne s'agit pas tant d'une connaissance que d'une assimilation.
> D'une assimilation à leur mystère. Que l'un se révèle à l'autre dans l'acte de vie.
> Qu'ils se soient mis ensemble dans les bras de l'espèce (de la mort et de la vie), et perdu ensemble l'esprit, perdu la tête au profit de la (résurrection) régénération des corps (corps verbal) ».[3]

Cette longue citation est essentielle pour nous, parce qu'elle définit pleinement ce que nous entendons par récréation (notamment à la fin où le terme apparaît presque). Et dans un texte qui porte sur la figue, ou "La Figue", on découvre là encore ce "mimétisme" même dans la définition d'une poétique. Comme quoi, au moins chez Ponge, la poétique (trop souvent austère chez nos linguistes actuels) ne se sépare guère du charme discret de la poésie. Et ce qu'il y a de remarquable dans cette "poésie", c'est qu'elle n'est pas définitive, l'objet restant toujours "opposable à tout poème"[4].

Le désir de confondre mimétiquement le texte et le référent est plusieurs fois avancé par Ponge. C'est parfois une interrogation :

> « J'ai toujours balancé entre le désir d'assujettir la parole aux choses (cf. *Berges de la Loire*) et l'envie de leur trouver des équivalents verbaux (?) ».[5]

C'est beaucoup plus souvent une invitation, qui demande au lecteur de considérer la forme du texte, son rythme, sa construction, comme un reflet obligatoire de l'objet ; c'est le cas pour le texte du "cheval" :

« Pourquoi l'ai-je gardé comme tel ? Parce qu'il exprime cette impatience, ce côté nerveux du cheval, cette fierté, cette colère, et en même temps, dans le paragraphe sur le cheval à l'écurie, cette espèce de drame, de stupéfaction pathétique ».[6]

Aussi arrive-t-il que Ponge mette en exergue à ses textes les clés, non tant de l'image dominante (ce qui peut arriver), mais surtout de la production du texte, de sa mise en exécution et donc de la façon dont il faut en percevoir la signifiance, après en avoir découvert le sens. C'est le cas de "L'Araignée", de "L'Edredon" :

« Méditation sans effort, formée de pensées légères et bouffantes, sur (et sous) l'édredon ».[7]

C'est en quelque sorte l'objet qui oblige l'écrivain dans une attitude bien connue, celle de la paresse. L'"argument" du "Lézard" est une indication en des termes rhétoriques ; mais M. Spada a pleinement raison lorsqu'il dit :

« Cette rhétorique proclamée n'est pas seulement une lumière sur le texte, elle est partie intégrante de celui-ci, elle est *du* texte ». (P. 36.)

Car cet "argument" est dejà piégé, et tout ce qu'il raconte, c'est déjà le lézard ; d'ailleurs l'ambiguïté des termes employés renvoie tout autant au référent qu'au texte. Ailleurs l'indication vient en fin de texte, comme pour narguer le lecteur de n'en avoir pas vu toutes les intentions. C'est le cas de "La Guêpe" où Ponge devance les critiques, en les prévenant d'un contresens :

« Il se trouvera bien quelque critique un jour ou l'autre assez pénétrant pour me REPROCHER cette *irruption* dans la littérature de ma guêpe de façon *importune, agaçante, fougueuse* et *musarde* à la fois, pour DENONCER l'allure *saccadée* de ces notes (...)" ».[8]

Quant au *Volet*, il est suivi d'une assez longue "scholie", qui, comme on le sait, sert à l'interprétation d'un texte, et qui dans le cas précis fait passer d'un lit à un livre, l'écrivain y étant dans les deux cas couché...[9]

Mais il est un texte où ce désir de "mimétisme" est plus poussé encore. Il s'agit de "La Seine" où non seulement les mots, mais aussi la page, la forme du livre et la matière de l'écriture doivent figurer les caractéristiques du fleuve. Voilà qui pose bien des problèmes. L'auteur proclame bien :

> « Allons, pétrissons à nouveau ensemble ces notions de fleuve et de livre ! Voyons comment les faire pénétrer l'une en l'autre !
>
> « Confondons, confondons sans vergogne la Seine et le livre qu'elle doit devenir ». (*TP*, p. 557.)

Pourtant, cette résolution est suivie d'une foule de questions sur la marche à tenir, et qui font apparemment renoncer l'écrivain. Mais ce n'est que par prétérition, puisque l'auteur peut affirmer toutes ses possibilités : mise en page, composition, nombre de pages, dimensions du mot, rythme, figures... :

> « Je vois bien qu'il faut que j'y renonce, heureux si, d'en avoir énoncé seulement quelques-unes, certaines caractéristiques de mon objet se sont trouvées évoquées, qui, sans doute, n'auraient pu l'être autrement ! ». (*TP*, p. 562.)

Ce procédé d'imitation est bien connu, et ce que Ponge appelle "mimétisme" est désigné comme mimésis par les critiques. Mais, en fait, nous nous demandons si ce phénomène de mimésis ne s'efface pas devant la volonté de décrire simultanément l'objet et le travail, la création de l'objet-texte, en sorte qu'il y aurait une triple dimension : une parenté entre le mot et l'objet, voire le texte et l'objet, un rapport entre l'existence de l'objet et la création de l'écrivain, et enfin un accord entre la condition du texte écrit et celle de celui qui écrit.

N.B.

C'est aussi ce que suggère M. Riffaterre, lorsqu'il différencie mimésis et sémiosis, la mimésis étant "la représentation du non-verbal, des choses" et la sémiosis l'"opération qui transforme la mimésis de telle sorte que le lecteur soit amené à la réinterpréter, et à identifier le nouvel objet qu'elle propose sous l'apparence de la représentation"[10]. Cette sémiosis est, nous l'avons vu à propos de l'intertextualité, bien plus importante que la seule mimésis. Mais nous voulons insister ici sur le fait que l'auteur tient à inclure, dans son texte sur un objet, sa tâche même. C'est ainsi qu'à l'origine le titre de "L'Araignée" était révélateur : « L'araignée publiée à l'intérieur de son appareil critique ».

Le texte intitulé "Le Pain" montre aussi, mais de façon peut-être plus discrète, la superposition de plusieurs créations : celle du pain, celle du monde, et aussi celle de l'écrivain. Pour réussir l'opération, il suffit d'abord d'employer des termes dont les sèmes puissent se rapporter aux trois catégories. C'est le cas des mots ou expressions : "masse amorphe", "s'est façonnée" et aussi "plans" ; il n'est pas impossible d'employer des termes répondant seulement à deux catégories :

1. Monde - pain : feux - éructer (le mot pouvant aussi renvoyer à une personne).

2. Monde - écriture : fleurs (éventuellement de rhétorique) - et aussi panoramique, si l'on admet (!) une origine pan- (de panis : pain) oramique (de horân : voir) ; donc qui permet de voir le pain...

3. Pain - écriture : mollesse - tissu - brisons-la (qu'il faut rapprocher du fameux "brisons là").

Quant au terme "éponge", il peut être une signature de l'écrivain. Il suffit ensuite de superposer les registres. Les deux premiers paragraphes semblent essentiellement consacrés à la formation de la terre au moment de la création. Mais ce n'est qu'apparent. Il y a l'audace étymologique de panoramique, bien préparée par le "quasi". Une analogie est faite ensuite entre la pâte qui a levé dans le pétrin et la masse terrestre en fusion. C'est par la belle image du “four stellaire” que le monde terrestre vient se confondre pleinement avec le monde du pain. En effet, le “four” renvoie directement au pain, alors que “stellaire” nous place au sein des étoiles du cosmos. Cependant, pour qui a pu contempler un four à pain, l'analogie s'explique par cet objet même, qui se présente comme une voûte céleste ; celle-ci, une fois le four allumé, laisse voir par les interstices de belles étoiles. Et ce beau mystère qui fait passer une masse ignoble (comme l'est le vocabulaire pour l'écrivain Ponge) à l'état de réalité solide, avec des “plans” “articulés”, c'est en fait celui de la création littéraire. Il ne reste alors qu'à manger de ce pain-là :

> « Mais brisons-la : car le pain doit être dans notre bouche moins objet de respect que de consommation ».

Ainsi cette bouche vient encore à la fin associer le palais “du goût”[11] à l'organe de la parole.

Mais à cette mimésis s'ajoute ce que M. Riffaterre appelle la tautologie, c'est-à-dire « l'expansion textuelle d'un mot noyau »[12]. On le sait, ce phénomène n'est pas nouveau ; il caractérise la plupart des textes, plus particulièrement les descriptions et les portraits qui ne font que redire un trait dominant. Il suffit de relire La Bruyère ou Balzac, pour voir comment progresse la dérivation. Mais la plupart du temps, elle n'est pas explicite, et M. Riffaterre a raison de dire que ce qui fait l'originalité de Ponge, « c'est la visibilité de la surdétermination »[13].

D'une certaine façon, le texte pongien n'est qu'une correction perpétuelle opérée par la signifiance (souvent donnée par l'intertextualité) sur le sens. Ce remaniement se manifeste de deux façons : ou il est une préparation d'un mot base (ou d'une phrase de base) par l'accumulation de données prises dans la connaissance scientifique, mais surtout littéraire, laquelle permet de justifier ce qui vient d'être présenté, ou qui le sera, à l'aide d'un corrélatif qui lui sera contigu (en quelque sorte une métonymie) ; ou bien il s'agit d'opposer sans cesse un élément à ce qui précède comme pour démolir le procédé, faire éclater la rhétorique, ou plus souvent pour nier une première transformation de l'objet en texte, en associant en quelque sorte la critique à la création.

Ainsi, on comprend mieux l'esthétique des variations jugées fastidieuses par quelques-uns. La publication récente de plusieurs manuscrits montre pourtant bien le progrès du travail pongien. Ainsi de "La Figue" ; tout part d'une phrase d'allure extrêmement simple :

> « La figue est molle et rare (?). Phrase donnée automatiquement ». (*CFPP*, p. 9.)

Suit alors toute une explication ou justification de la formule, qui atténuera le "rare" sans l'exclure, qui incorporera le mot. Associé à molle, il deviendra une "pauvre gourde" ou une "tétine". Et si l'on y regarde de près, les deux cent treize pages de *Comment une figue de paroles et pourquoi* deviendront par la réduction de toutes ses variantes et "virements" quatre pages dans "'La Figue". Et on pourrait voir la même tautologie dans "Le Carnet du bois de pins", ou dans *Le Savon*. L'idéal serait peut-être d'avoir tous les manuscrits permettant de mieux suivre la surdétermination. Mais voilà qui enlèverait toute spontanéité à la lecture de ce clin d'œil donné par l'écrivain. Et l'on perdrait la saveur d'un "amadoué Mozart"[14], dont le contexte seul permet de comprendre l'audace.

Car c'est là qu'est la deuxième caractéristique de cette tautologie, et elle ne manque pas de paradoxe. Car la rencontre entre le sens propre et le sens contextuel crée ce que M. Riffaterre nomme "oxymore", lequel se résoud au détriment du premier. Ainsi de ce passage de "L'Araignée" où le lecteur ne comprend qu'à la fin de la phrase (c'est un peu tard) qu'il avait oublié le bon sens ; il en sera pour ses frais puisqu'il ne pourra se dépêtrer :

> « Jusqu'à ce qu'elle coiffe enfin, de manière horrible ou grotesque, quelque amateur curieux des buissons ou des coins de grenier, qui pestera contre elle, mais en restera coiffé ».[15]

Pourtant, cette tautologie n'est pas qu'allusive ; elle est aussi négative : l'objet textuel "fait" par l'écrivain a fini par remplacer l'objet réel. Désormais, quand il sera question de lui, il ne sera plus possible de se dispenser de l'intertextualité pongienne :

> « Le langage, c'est-à-dire un *pré-texte* (de Ponge encore, un jeu révélateur de plus) dont le texte ne sort qu'en le négativant par l'équivoque continue. Tautologie, donc, mais d'un non-dit ».[16]

On aboutit donc à un texte qui réfère à deux types de données : celles de l'objet et celles du langage. L'œuvre de Ponge serait donc plus que des "définitions-descriptions" puisqu'il doit remplacer :

> « 1. Le dictionnaire encyclopédique ; 2. le dictionnaire étymologique ; 3. le dictionnaire analogique (il n'existe pas) ; 4. le dictionnaire de rimes (de rimes intérieures, aussi bien) ; 5. le dictionnaire des synonymes, etc ; 6. toute poésie lyrique à partir de la Nature, des objets, etc ».[17]

On pourrait compléter par dictionnaire mythologique, dictionnaire des citations, des idées reçues ; bref un « coffre merveilleux d'expressions anciennes » au service de toute page.[18]

Reste maintenant à savoir si la parfaite adéquation du texte à l'objet est réalisée. Tous les ouvrages de stylistique répondront que c'est une utopie. Qu'on se rassure, Ponge aussi, qui sait bien qu'il ne peut atteindre qu'une "approximation désespérée »[19]. Cependant, il ne faut pas rester sur ce seul constat d'échec, et ce que la stylistique n'a pu admettre, la poésie le fera passer ; il nous faudra dire comment.

L'analogie

Nous avons vu dans notre première partie combien les analogies et surtout les différences, avaient un rôle dans la définition des objets. Il nous reste à voir comment dans la pratique apparaissent les faits. L'analogie crée un rapport, cherche à faire disparaître une dualité, tout en respectant chaque élément. Et, pour Ponge, la variété vaut certainement mieux que l'unicité qui anéantit. D'autre part, l'idée est un abîme, alors que l'image donne "à jouir à l'esprit humain".

> « Une belle image au contraire, une représentation hardie, neuve et juste : j'en suis plus fier que si j'avais mis sur pied un système, fait une invention mécanique de première importance, battu un record, découvert un continent ».[20]

Francis Ponge emploie donc la comparaison, la métaphore et l'allégorie, mais d'une façon qui lui est propre. A première vue, tout se passe comme pour tous les rapprochements d'une description : l'objet est défini par des caractéristiques propres à un autre objet, et l'analogie se fait par le biais de cette identité. Ainsi l'huître est « de la grosseur d'un galet moyen » ; quant à l'orange, elle ressemble à l'éponge après la compression (Ponge dit mieux avec "expression", allusion nouvelle à sa tâche d'écrivain) :

> « Comme dans l'éponge, il y a dans l'orange une aspiration à reprendre contenance après avoir subi l'épreuve de l'expression ».[21]

Le gui, lui, est « une sorte de mimosa nordique, de mimosa des brouillards »[22]. Pourtant, l'auteur met quelques conditions à de tels parallélismes, évitant, comme Malherbe, qu'ils ne prennent trop de place :

> « La métaphore ne sert qu'à rendre *l'idée* plus frappante, jamais elle ne la disperse, ne l'offusque, ni ne la dévie, ne l'incline ». (*PM*, p. 305.)

C'est-à-dire que l'image doit toujours être associée directement à la chose envisagée, servir sa vérité plus que sa beauté, donc ne jamais être gratuite, due seulement au hasard ; en quelque sorte, elle ne saurait être pleinement surréaliste. Dès lors, deux conclusions s'imposent. D'une part, la genèse de l'analogie s'explique souvent par l'homonymie du mot, ou par son origine. Nous avons vu que c'est en ce sens que l'analogie, c'est d'abord une "géné-analogie"[23]. Le mot peut en effet, grâce à ses trois dimensions, et notamment par son intertextualité littéraire ou lexicale, déterminer une analogie d'autant plus intéressante qu'elle s'applique au concept de l'objet. Dans ce sens, on distingue plusieurs types de métaphores que M. Spada a brièvement répertoriées dans son ouvrage[24]. Tout d'abord, la métaphore peut être enchaînée, c'est-à-dire présenter une série d'analogies différentes mais dont les éléments se complètent, sans se confondre avec la métaphore filée. C'est ainsi que les hirondelles sont présentées d'abord comme des "flèches", puis comme des "flammes", la superposition des signifiants conduisant même à "flammèches". Par contiguïté métonymique, on passe au responsable de ces flammes, le "réchaud", auquel se substitue le "trolleybus-fantôme" et ses fils électriques, qui permettront plus loin les "circuits voltaïques"[25]. C'est aussi par contiguïté métonymique que se construit, dans "Le Papillon" une métaphore filée cette fois-ci. De la flamme, on passe à l'allumette, de l'allumette à la lampe, de la lampe au lampiste.

Parfois, plusieurs métaphores se mélangent pour en créer une nouvelle ; c'est toute l'histoire du "cheval" qu'on ne peut que raconter à nouveau. Première analogie, l'armoire :

> « Aboule-toi du fond du parc, fougueuse hypersensible armoire, de loupe ronde bien encaustiquée !
>
> « Belle et grande console de style (...)
>
> « Le chiffon aux lèvres, le plumeau aux fesses, la clef dans la serrure des naseaux ».[26]

Cette armoire a l'air de venir de la forme et surtout de la couleur brillante du cheval, faisant penser à de la cire. Mais, outre une référence à Boule, c'est Littré qui donne la solution, pour peu qu'on veuille bien penser qu'un cheval est parfois un bidet... Or à l'article "bidet", voici ce qu'on lit : « 2. meuble de garde-robe dans lequel est enfermée une cuvette longue sur laquelle on peut s'asseoir à califourchon » et surtout la suite : « 3. sorte d'étau, établi de menuisier - Instrument de bois sur lequel le cirier travaille la cire ». On est donc passé par association de cire à encaustiquer et donc à nettoyer (d'où la métaphore filée dans les trois analogies finales *confirmant* le bien-fondé de l'analogie première) et de là à ce qui est encaustiqué, à savoir la console qui, Ponge peut le dire, est vraiment "de style", entendons bien, le résultat d'une recherche "de style"...

La deuxième métaphore est religieuse ; c'est une "nef" et en poursuivant un "saint" qui deviendra "moine", "pontife" et même "pape". Mais entre-temps, Ponge a avancé une autre métaphore, celle de la courtisane, qui devient ensuite la « poule aux œufs d'or », ce qui nous vaut une « omelette à la paille ». La genèse de l'image tient surtout dans l'expression courante : "Hue ! cocotte", mais trouve aussi confirmation dans les mots poulain, pouliche, qu'on peut rattacher poétiquement à poule ou poulette (on dit aussi : "Hue ! poulette") qui renvoient à la courtisane. Mais évidemment l'audace suprême, qui serait irrévérencieuse, si elle n'était essentiellement verbale, c'est de mêler les deux métaphores du pape et de la courtisane :

> « Un pape qui montrerait d'abord, à tout venant, un splendide derrière de courtisane, en cœur épanoui, sur des jambes nerveuses élégamment terminées vers le bas par des sabots très hauts de talon ». (Id.)

Mais la fin de cette description est moins pour les belles

jambes de la cocotte que pour attirer l'attention sur la représentation graphique du cheval.

Il existe d'autres types de métaphores définis par M. Spada : "unifiantes", c'est-à-dire l'emploi d'une métaphore unique pour renvoyer à des domaines différents. Ainsi des "loques" se rapportant à la fois aux buissons, aux roches, à la chèvre. Il arrive enfin que l'on ait des métaphores "synthétisantes" regroupant plusieurs éléments évoqués ; ainsi la "grenouillerie" de "La Fin de l'automne" évoque la terre imprégnée d'eau et transformée en vaste marais, la "mouillerie" générale et aussi le bruit (celui d'un coassement) qui résulte de toute cette fermentation ; enfin, si l'on en croit Maupassant, la grenouille est l'image mystérieuse du germe de la vie[27].

Mais il est une constatation plus importante que l'on doit faire sur l'analogie. Depuis Baudelaire, on a l'habitude de considérer les correspondances comme permettant de mieux découvrir le monde abstrait grâce à ses homologues concrets. Or, pour Ponge, tout se fait chose, et c'est donc le concret qui prend la première place. Il n'y a même plus de correspondances entre ce monde et un monde inconnu, caché. Le but de Ponge est situé ailleurs. Il s'agit d'établir le rapport entre l'objet du monde et l'objet textuel. Et étant donné qu'on ne saurait évoquer la moindre chose sans employer le langage qui lui correspond, il faut considérer ou que tout langage est analogique ou qu'il n'y en a plus. C'est ainsi que l'on comprend la remarque de H. Maldiney :

> « Ce *comme* n'est pas de comparaison mais d'explication réciproque entre leurs formes en formation, entre la page s'écrivant et la chose se manifestant, toutes deux indiquant la même direction dimensionnelle ». (Op. cit., p. 101.)

Dans ces conditions, on est ramené à la tautologie et à l'intertextualité. Le texte sur l'objet ne saurait dire que les mots existent déjà, qu'ils soient dans leur sens propre fourni par les dénotations du dictionnaire, ou qu'ils soient ceux d'une littérature antérieure. Et si l'analogie vient de la polysémie des mots, il n'y a pas métaphore ou comparaison ; il y a tout au plus catachrèse de métonymie. Et si comme souvent le rapprochement ne concerne que l'objet et l'acte d'écriture, lequel a justement pour mission d'évoquer l'objet, on ne voit plus où peut être l'analogie, puisque l'objet ce sera toujours l'écriture, et l'écriture toujours l'objet de l'écriture. C'est en ce sens qu'on a parlé de métaphore à double sens ; ainsi lorsque dans "L'Araignée", Ponge évoque la toile, le fil, fait-il une analogie entre l'araignée et l'écrivain (avec sa variante échriveau) ou entre l'écrivain et l'araignée[28] ? Faux problème, si l'on considère que c'est tout un ; c'est sans doute ce qui explique une pronominalisation sur laquelle d'ailleurs Ponge attire notre attention : à propos de l'hirondelle, ne dit-il pas :

> « Plume acérée, trempée dans l'encre bleue-noire, tu *t*'écris vite » ?[29]

En effet, cette pronominalisation est *réfléchie*, en ce sens que ce qui est sujet (en l'occurence tant l'écrivain que la chose) est aussi l'objet, que l'un ne peut que renvoyer à l'autre, et *réciproquement*. Les verbes pronominaux réfléchis sont donc la marque la plus évidente d'une redondance tautologique, et c'est un des plus beaux exemples de nombre "duel" que Ponge veut exprimer :

> « La production de son propre signe devenant ainsi la condition de l'accomplissement de quoi que ce soit... Oui ! Oui ! c'est bien ainsi qu'il faut concevoir l'écriture : non comme la transcription, selon un code conventionnel, de quelque idée (extérieure ou antérieure), mais à la vérité comme un orgasme : comme l'orgasme d'un être, ou disons d'une structure, déjà conventionnelle par elle-même, bien entendu, mais qui doit, pour s'accomplir, se donner comme telle : en un mot, se signifier elle-même ». (*S*, p. 127.)

C'est par un tel principe que le verre et l'eau, contenant et contenu, signifiant et signifié, se réfléchissent...

Et il en sera de même pour l'allégorie. La définition de ce terme donnée par Littré est rappelée par Ponge lui-même :

> « Allégorie : dire autre chose que ce qu'on paraît dire ».[30]

L'auteur ne cache pas son emploi, à propos du "Lézard" par exemple, où il avoue qu'ensuite l'esprit "la résorbe"[31]. Mais si l'on y prend garde, on constate que toutes les allégories employées renvoient au travail de l'écriture. Nous pourrions citer à nouveau "Le Volet", "L'Araignée", "Le Soleil", "Le Savon", "Le Pré", "La Figue", et bien d'autres. Nous nous attarderons ici seulement sur "La Lessiveuse". En effet, dans ce linge sale qui *se* lave sous nos yeux, apparaît presque naturellement toute la malpropreté du langage, avec la nausée qu'elle provoquait dans "Les Ecuries d'Augias"[32]. Et c'est toute la démarche artistique de l'écriture qui nous est présentée :

> « La lessiveuse est conçue de telle façon qu'emplie d'un amas de tissus ignobles l'émotion intérieure, la bouillante indignation qu'elle en ressent, canalisée vers la partie supérieure de son être retombe en pluie sur cet amas de tissus ignobles qui lui soulève le cœur — et cela quasi perpétuellement — et que cela aboutisse à une purification ».[33]

Or, dans la mesure où l'objet se confond avec la tentative de sa description, et, partant, avec la recherche esthétique de l'écrivain, il n'y a plus d'allégorie, puisque c'est le même but, et que parlant de l'objet en même temps que du texte qui est nécessaire pour l'exprimer, on ne saurait « dire autre chose que ce qu'on paraît dire ». L'allégorie est tout au plus l'expression d'une entité double confondant en elle-même l'objet et la fonction poétique ; elle permet à sa façon de retourner « au lieu antérieur où les choses et les mots se confondent ». (*CFPP*, p. 93.)

Si donc Ponge emploie des analogies, c'est d'abord parce qu'elles existent dans le langage et qu'il n'y a aucune raison de s'en passer ; ce n'est cependant qu' « *un* des moyens de scruter l'objet »[34]. Et, en général, Ponge préfère d'autres moyens fournis par la sémantique ou la sémiotique, la rhétorique devenant une pratique quasi naturelle résultant d'un acquis :

> « Et quant à ce qui est du langage français, certes nous croyons le connaître un peu, encore que peut-être nous devions reconnaître avoir fait porter notre étude beaucoup plus sur le vocabulaire, le dictionnaire que sur la syntaxe, la grammaire, bref sur la matière à proprement parler plutôt que sur ses formes ou figures. Celles-ci, nous les avons pratiquées d'instinct, sans nous appliquer assez à leur étude ». (*PM*, p. 201.)

Et en fait le plus souvent ces métaphores apparaissent *à l'intérieur* d'un réseau homonymique, *à l'intérieur* d'un système tautologique, en sorte qu'il paraît plus juste, en ce sens, de parler de contiguïté métonymique. En somme, pour Ponge, l'analogie ne saurait être un but permettant de mieux percevoir l'inconscient, elle n'est qu'un moyen conduisant à l'objet et au langage.

Les proverbes

De fait, ce ne sont pas les analogies qui intéressent le plus Francis Ponge. Celui-ci a fermement l'intention d'aller plus loin :

> « Transcender le magma analogique et l'allégorie même. Parvenir à la formule claire ».[35]

Pour un homme qui s'est proposé de dénoncer le langage, d'offrir comme nous l'avons vu, une contre-rhétorique, il faut une arme suprême, efficace, qui ne peut guère se trouver que dans la formule proverbiale :

> « Nouvelle conception de l'artiste, comme devant fournir des armes, des proverbes (proverbes du gratuit, de l'éternel). (Expression de Blin à propos d'Artaud : armes fulgurantes) ».[36]

Cette structure du langage est essentielle, car c'est grâce à elle que l'artiste "récrée l'homme"[37], et dans l'histoire littéraire, elle a montré ses pouvoirs. Les Grecs, Hésiode ou Pindare, avaient inauguré en poésie la force de la formule, saisis par son côté mathématique correspondant à leur conception du Cosmos, et par la force de sa densité. Des Latins que Francis Ponge admire, comme Tacite et Horace, ont retrouvé les vertus de la concision. Les classiques français imitateurs de leurs Anciens ne pouvaient que suivre l'exemple, et Malherbe les y a le premier invités par son exemple :

> « On le voit tendre la corde sensible à la rompre, et aboutir par endroits à ces merveilleuses formules proverbiales, quasi abstraites, parvenant à faire sonner les métaphores comme des éléments d'un raisonnement abstrait ». (*PM*, p. 239.)

Ce sont aussi les moralistes qui s'y sont intéressés, et en particulier La Fontaine qui a laissé de nombreux axiomes impérissables, au point que l'on ne saurait évoquer une chose ou un animal sans faire appel à ses adages connus. De quoi évidemment séduire Ponge qui cependant voudrait encore plus :

> « C'est à de pareils proverbes que j'aimerais aboutir. Ma chimère serait plutôt de n'avoir pas d'autre sujet que le lion lui-même. Comme si La Fontaine, au lieu de faire successivement : *Le Lion et le rat, Le Lion vieilli, Les Animaux malades de la peste*, etc..., n'avait fait qu'une fable sur *Le Lion* ».[38]

Plus proches de nous, les surréalistes n'ont pas du tout dédaigné le proverbe où ils ont vu un moule parfait pour faire passer leurs messages ironiques ou leurs plus belles images. C'est ainsi qu'Eluard publie les "152 proverbes" avec Benjamin Péret ; qu'Henri Michaux fustige bien des conventions dans *Face aux verrous* et que René Char suit une poétique du diamant. Quelles vertus Ponge reconnaît-il à son tour au proverbe ? Tout d'abord la concision, c'est-à-dire le contraire de l'emphase, du parler pour ne rien dire. C'est dans ce souci de brièveté que le proverbe doit privilégier le caractère essentiel de ce qui est à dire ; il pourrait donc être amené à simplifier ou à caricaturer, ce qui lui arrive parfois, en faisant une arme pleine d'ironie. Ponge semble toutefois chercher une simplicité au service de la vérité, avec finalement plus d'humour que d'ironie. Il faut donc chercher à dire le plus avec le maximum de moyens, mais aussi avec le minimum de langage ; et pour y parvenir, il faut chercher la "tension maxima" prônée dans le *Malherbe* et dans un but précis :

« Pour créer une *accumulation* de forces ».[39]

Car c'est cela la formule, un accumulateur électrique, un "petit alambic" comme l'oiseau prêt à délivrer ses vocalises longuement distillées, ou même une guêpe prête à piquer et à laisser son venin.

La deuxième vertu du proverbe, c'est qu'il est de valeur très générale, qu'il atteint plus d'objectivité en s'appliquant à de multiples cas, qu'il est certainement une des expressions se rapprochant le plus de la chose.

Et le fait même d'avoir un objet d'allure impersonnelle contribue à ce qu'il soit "infaillible". C'est une masse, une "bombe"[40] qu'il faut garder pour le bon moment, afin d'en faire entendre surtout la détonation :

> « Ce qui est merveilleux alors, c'est qu'une telle expression — sorte d'oracle, de maxime ou de proverbe — peut être dite de n'importe quelle façon : hurlée, murmurée, accélérée, ralentie, affirmée, posée interrogativement, voire même (Lautréamont l'a montré) retournée : elle n'y perd rien ; c'est qu'en

> effet, elle signifie tout et rien ; c'est une lapalissade et c'est une énigme ».[41]

Et cette bombe est surtout forte dans la discussion ; de la boutade à la maxime tout *a priori* engage l'auditeur à l'acquiescement. Voltaire le savait bien qui préfère quelques bonnes formules à de longues démonstrations et Ponge le reconnaît à son tour :

> « Même dans un marché, celui qui sort un proverbe (quand deux personnes discutent), celui qui sort un proverbe au bon moment, il a gagné. C'est en cela que le jeu consiste. Quand on écrit, il semble que ce soit au fond pour cela, qu'on s'en rende compte ou non. Ainsi tend-on à une espèce de qualité oraculaire ».[42]

Car le proverbe tend à l'oracle, ce qui lui assure encore une plus grande influence. L'oracle en effet a une valeur magique, un caractère sacro-saint qu'aucun écrivain ne saurait négliger. Mais ce qui lui donne aussi son intérêt poétique, c'est son côté énigmatique. Car le poète doit, à la façon de la Pythie, convaincre et garder le mystère. Il doit donner la parole au monde muet pour que finalement, il « s'y réinsère » :

> « Voilà qui justifie l'indifférence de l'ambiguïté et de l'évidence dans les textes poétiques, leur caractère oraculaire, disons ». (*PM*, p. 41.)

Il y a pourtant un danger dans le proverbe, c'est celui d'une forme figée, unique. Il n'est pas un lieu commun, parce qu'il est appliqué[43]. De plus il renvoie souvent à une suite.

Quelle forme prennent donc les proverbes dans l'œuvre de Francis Ponge ? Celle-ci dépend essentiellement des valeurs que nous venons de préciser. Et tout d'abord la concision. Il y a plusieurs façons d'y parvenir, la plus fréquente étant l'ellipse. Ellipse de l'article, ellipse des antécédents, ellipse des verbes. Les deux premières ellipses ne sont pas les moins caractéristiques des textes de Ponge. On les retrouve surtout dans les notes, les observations des manuscrits et on ne peut y discerner autre chose qu'un simple relevé d'indications à éventuellement reprendre. Ainsi en est-il de la "Déclaration condition et destin de l'artiste" :

> « Le nouvel humanisme :
> Philosophie des philosophies.
> Psychologie de l'art.
> Les Musées. Le goût de l'ancien.
> L'abhumanisme de l'artiste ».[44]

Cependant, ces notes que l'on trouve souvent dans le livre *Pour un Malherbe* peuvent très bien figurer au milieu d'un texte, comme pour attirer l'attention, concentrer l'esprit sur un point qui ne mérite ni lyrisme ni philosophie, mais plutôt considération. Il n'est pas impossible d'y joindre de l'humour, éventuellement en réactivant un cliché (la mauvaise forme qu'a pu prendre le proverbe). Ce qui nous donne la vérité des crevettes :

> « Révélation par la mort. La mort en rose pour quelques élues ».[45]

Ce style minimum de carnets, c'est celui des *Fusées* de Baudelaire, style aujourd'hui bien plus commun, après les surréalistes.

Plus fréquente que l'ellipse de l'article, est celle du verbe. On trouve souvent des phrases nominales. Celle-ci peut comprendre un nom noyau développé par plusieurs indications, données à travers toutes les possibilités de la caractérisation : adjectifs, compléments déterminatifs, propositions, constructions absolues, chaque élément apportant une rectification au terme de base. C'est le cas de la guêpe :

> « ... Un chaudron à confitures volant, hermétiquement clos, mais mou, le train arrière lourd basculant en vol ».[46]

Le proverbe offre souvent aussi une structure segmentée séparant nettement thème et propos à l'aide de la copule "est" ou même du gallicisme "c'est" plus intensif. Par exemple : « Partir, c'est mourir un peu ». On peut remarquer que souvent, dans ce cas, le premier segment est un infinitif ou encore une forme superlative du genre : « Le meilleur, le mieux, etc », ou inversement : « Le pire, le plus difficile, etc ». Il y a de tels proverbes dans l'œuvre de Ponge. Ainsi encore de la crevette :

> « Le révélateur de la crevette est son eau de cuisson ».[47]

ou de la nuit :

> « La nuit, c'est le trésor de l'aigle et de la pie ».[48]

Comme on le voit, il n'est pas rare de joindre une structure fixée par un mètre (notamment l'alexandrin), le proverbe aimant des rythmes réguliers :

> « La plus fine fleur du sol fait la boue la meilleure ».[49]

Parfois, comme dans "La Main", le thème n'est que dans le titre, et le texte n'offre qu'une suite de définitions allant de la phrase courte à une série de phrases nominales. Les formes impersonnelles propres aux proverbes se trouvent également ; ainsi du cheval :

> « Il faut un petit banc pour voir sur l'étagère du dessus ».[50]

On trouve aussi, bien entendu, le temps présent exprimant le mieux les vérités générales, et s'appliquant donc très bien tant aux définitions qu'aux proverbes. Les exemples abondent : nous ne retiendrons que ceux qui marquent une sorte de prescription générale, d'ailleurs renforcée par la négation :

> « Les rois ne touchent pas aux portes ».[51]

ou une constatation, une conclusion :

> « L'oiseau trouve son confort dans ses plumes ».[52]
> « Tout automne à la fin n'est plus qu'une tisane froide ».[53]

Mais une des constantes des proverbes est aussi la structure binaire offrant parallélisme, symétrie même, ou opposition, voire antithèse. Très souvent, ces deux éléments sont disposés en parataxe, et même peuvent se présenter sous la forme de deux hémistiches ; ainsi de la cruche :

> « Pleine elle peut déborder, vide elle peut casser ».[54]

ou de la main :

> « Quand l'une fait l'étau, l'autre fait la tenaille ».[55]

L'importance du proverbe est telle que J. Thibaudeau, dans son anthologie sur *Francis Ponge*, a classé de nombreux exemples. Il est dommage qu'il ne l'ait fait que par ordre alphabétique, car ces exemples montrent une diversité de structures (de la simple phrase nominale à la définition ou à la remarque plus longue). D'autre part n'apparaît pas un des points importants, c'est que ces proverbes sont rarement isolés, et qu'ils se présentent dans la majeure partie des cas au sein même du texte, parfois à la fin, comme pour conclure par un médaillon. C'est que l'axiome n'est pas seul ; il s'oppose aux diverses constructions en variantes qui l'entourent.

Le paragraphe

De fait les textes de Ponge se présentent le plus souvent comme une suite de paragraphes, de formes et de constructions bien différentes. J.-P. Sartre a analysé surtout la disposition et le rôle de chaque partie dans l'ensemble :

> « Les poèmes de Ponge se présentent comme des constructions biseautées dont chaque facette est un paragraphe. A travers chaque facette, on voit l'objet entier. Mais chaque fois d'un autre point de vue. L'unité organique est donc le paragraphe : il se suffit. Il est rare que, d'un paragraphe à l'autre, un passage soit ménagé. Ils sont séparés par une certaine épaisseur de vide... ». (*Situations I*, p. 270.)

Cependant, Ponge a critiqué cette analyse, notamment pour la répartition des blancs dans les textes du *Parti pris des choses*. La disposition s'explique par un hasard de l'édition, Ponge n'ayant pu reprendre ses pages manuscrites avant la publication. Ainsi, selon lui, la démonstration de Sartre ne tient plus bien. Toutefois, il est des remarques qui restent justes. Paragraphes ou non, les diverses faces apparaissent, elles se réfléchissent elles-mêmes. Elles sont le signe de la variété nécessaire de la création pongienne. C'est d'ailleurs un nouvel exemple de l'adaptation du texte à l'objet. En effet, si le monde, la terre surtout, présente les différentes couches de sa formation, le texte lui aussi offre ses différentes "sédimentations", ses strates[56]. Celles-ci dépendent essentiellement des suites de notes écrites en "vingt minutes par jour" et accumulées, notes qui varient énormément de par leurs origines : observation, apport encyclopédique, apport de l'intertextualité, de l'étude du signifiant. Et ces matériaux sont employés « comme dans une mosaïque on place certaines pierres »[57], comme des peintres (Picasso ou Braque par exemple) composent leur toile d'éléments différents. C'est ce que remarque Sartre à propos justement des tableaux de Braque, si étroitement lié à Ponge :

> tableaux « entre lesquels l'œil doit établir cent unités différentes, mille relations et correspondances, pour composer enfin un seul tableau ».[58]

Dès lors, le texte offre l'unité de son sujet dans la variation de ses prises de vues, que ponctuent des silences. C'est un peu l'esthétique des *Fugues* de Bach où on apprécie tour à tour les variations du thème. Si l'on prend conscience que ces vues concernent surtout des textes achevés, comme le *Parti pris* ou *Pièces*, une constatation s'impose : l'œuvre de Ponge se résout en deux formes, soit les variations de proverbes aux éléments indispensables et expressifs, soit les variations de leur constitution. Dans une même pièce, on a d'ailleurs le plus souvent l'ensemble :

Le Pré et sa *Fabrique*. Cette fabrique a d'ailleurs un rôle bien précis, c'est de jouer contre une rhétorique figée.

C'est bien ce que montrent les diverses formes utilisées dans le paragraphe. Il faut d'abord préciser que si les textes clos et les textes ouverts offrent une différence dans le traitement de ces formes (essentiellement dans la longueur), ils restent identiques par leur contenu et présentent la même variété. Il y a donc en premier lieu des paragraphes de forme close, en général brefs. Ce sont ceux qui comprennent essentiellement le proverbe, la maxime, et par conséquent l'énigme et même la pensée oraculaire ; d'un autre côté, mais dans un style semblable, la remarque, la note. Un peu semblable également est la trouvaille verbale ; elle peut être un seul mot, une seule phrase, mais aussi un paragraphe plus important.

La forme ouverte offre aussi des éléments variés. On y trouve souvent la présentation de la recherche lexicale, avec éventuellement des pages du Littré recopiées ou analysées, même dans des textes dits clos, comme "Les Hirondelles". On relève aussi assez souvent des citations, que celles-ci soient données expressément, ou qu'elles soient plus cachées. Il y a ensuite des paragraphes consacrés à des essais sur le mot, phoniques ou sémantiques. Il y a enfin des paragraphes de réflexion, plus fréquents, cela va de soi, dans les ouvrages plus critiques.

Il ne faut pas oublier, pour finir, que la forme du paragraphe peut dépendre du désir de présenter un calligramme. C'est le cas de "L'Huître" dont nous avons déjà parlé. Tout cet ensemble constitue donc un étrange mélange ; mais l'œuvre d'art, surtout moderne, c'est un peu cette présentation de tout ce qui a contribué à la formation d'une œuvre, ce qui est réalisé autant que le travail. C'est ce que remarque Ponge à propos du Centre Beaubourg qui, à travers ses tubulures contestées, offre à la fois un "monument" et un "moviment".[59]

La présence poétique

On peut se demander alors si ces paragraphes ne sont pas parfois de véritables strophes, ou même des versets. Ou de façon plus générale, on peut se demander la part de la présence poétique dans l'œuvre d'un auteur qui proclame qu'il ne se veut pas poète. De fait, la première constatation qu'on doive faire, c'est que la poésie n'est qu'un moyen, parfois plus beau qu'un autre, qui ne doit jamais être déifié, qui est parfois nécessaire pour convaincre, dans la mesure où souvent l'art de persuader passe par celui d'agréer. Mais la poésie rejoint les analogies ; ce n'est qu'un "magma" dont il faut se "débarrasser". Il n'empêche que cette présence poétique est effective et qu'il faut nous y arrêter, pour préciser sa raison d'être et ses diverses formes.

Il faut tout d'abord dire que tous les textes de Ponge peuvent faire apparaître la poésie, même si elle est plus fréquente dans des œuvres comme le *Parti pris, Pièces* ou *Lyres, Le Nouveau Recueil.* Car toute réflexion, même critique, n'exclut pas le lyrisme. Cependant, ce lyrisme s'explique le plus souvent, là encore, par un désir de conformité au sujet "placé en abîme". Le lyrisme sied bien au cheval, si l'on veut montrer son côté fougueux, aux hirondelles si l'on veut évoquer leurs "infatigables randons". Mais à vrai dire, ce n'est pas systématique. Ponge ne montre-t-il pas finalement autant de passion pour décrire les "voitures de l'assainissement public", ce qui nous vaut un titre joliment amphibologique, mais bien significatif pour le sort de la poésie : "La Pompe lyrique" :

> « Lorsque les voitures de l'assainissement public sont arrivées nuitamment dans une rue, quoi de plus poétique ! Comme c'est bouleversant ! On ne sait plus comment se tenir. Impossible de dissimuler son émotion ».[60]

Il arrive donc peut-être à Ponge de rechercher un ton soutenu pour appuyer un effet, pour mettre en valeur une évocation, mais plus souvent la poésie est recherchée par "mimologisme", pour imiter le caractère propre au référent, qu'il soit objet ou artiste devenu également objet. Dès lors, on peut assigner un triple rôle à cette poésie : antirhétorique, sémantique et parodique.

Antirhétorique, parce que la poésie est un moyen de faire éclater le cadre conventionnel d'un style descriptif ; parce qu'elle permet éventuellement de se moquer de la syntaxe, l'émotion dépassant la stricte grammaire. On sait qu'Apollinaire prenait parfois des libertés avec cette syntaxe :

> « Ni temps passé
> « Ni les amours reviennent ».

Ponge use du procédé, mais c'est encore le plus souvent dans le souci d'imiter le rythme ou le caractère de l'objet. Ainsi le caractère saccadé du vol du papillon, son humeur "vaga-bonde" qui le fait bondir vaguement, qui le fait errer comme sous le coup d'une fièvre "erratique", est représenté par une belle formule où la fonction du "en" n'est pas claire, d'autant qu'il est en hiatus avec le "en" du "vent" précédent :

> « Minuscule voilier des airs maltraité par le vent en pétale superfétatoire, il vagabonde au jardin ».[61]

La place des accents montre par ailleurs un rythme changeant avec des mesures paires ou impaires. On peut en dire autant de "L'Huître" où selon Ponge même, l'expression "très rare" n'est pas correcte, mais remplace "rarement" :

> « Parfois, très rare, une formule perle à leur gosier de nacre, d'où l'on trouve aussitôt à s'orner ».[62]

que Ponge commente donc ainsi :

> « Comme je veux être bref, parce que la perle est brève (c'est très, très concis, une perle) eh bien ! j'emploie cela, je force la syntaxe ».[63]

A remarquer qu'avec rarement, on aurait une mesure plus classique avec un alexandrin au milieu : 6 - 12 - 9. Mais il faut être bref...

Sémantique donc a fortiori, puisque tout élément de l'écriture est signe renvoyant à l'objet, d'autant qu'elle met en valeur une trouvaille, comme pour signaler aussi au lecteur qu'il y a lieu de faire attention aux significations.

Parodique enfin, parce que la présentation même des textes ne peut pas ne pas faire penser au verset claudélien et que certaines remarques faites sur ce verset[64] ne peuvent que s'appliquer ici. Cette parodie est évidemment sensible dans le texte "Prose de profundis à la gloire de Claudel" : enjambement, longueur de la phrase rythmée, accents et rythme ne peuvent que le confirmer. Mais on peut se demander si ce n'est pas davantage encore, à savoir une parodie du lyrique, du sacré, celui qui est dans le verset de la Bible, et que Claudel ne faisait que traduire.

Il nous reste à préciser maintenant les principales formes de cette phrase poétique. Elle est d'abord d'ordre graphique, comme nous l'avons vu pour "L'huître", mais également dans d'autres textes, dans ia mesure où elle fait un découpage de l'énoncé, qui privilégie certaines remarques, généralement les plus brèves. Elle est aussi évidemment phonique, puisque ce découpage assure un rythme mieux démarqué. Le découpage donne, comme pour Claudel, une structure qui n'est pas du tout fixe, et qui se limite peu à des mesures habituelles. Cependant, le goût de Ponge pour les classiques le pousse souvent à une structure d'alexandrins ou d'hexasyllabes ; ainsi de ces "hirondelles" :

> « Nombreuses dans le ciel — par ordre ou pour question — sur ce bord, pour l'instant, les voici ralliées.
> « Mais quel souci leur vient, qui d'un seul coup les rafle ? Toutes, à corps perdu, soudain se précipitent.
> « Elles sont infaillibles ».[65]

Nous avons donc un double alexandrin, suivi de deux alexandrins et d'un hexasyllabe. Mais d'autres rythmes, dont on n'est pas sûr qu'ils soient verlainiens, apparaissent ; par exemple dans le même texte des "Hirondelles" :

> « Parfois, quand elles se posent, elles halètent.
> Leur désespoir les reprend.Elles attendent dieu sait quoi, l'œil rond.
>
> « Mais allez donc, hirondelles !
> Hirondelles, à tire-d'aile,
> Contre le hasard infidèle,
> Contre mauvaise fortune bon cœur ! ».[66]

Mais parfois la longueur habituelle du vers est nettement dépassée, tout comme dans les versets de Claudel ou de Saint John Perse. Ainsi de "La Nouvelle Araignée" :

> « Selon les cas et les espèces — et la puissance d'ailleurs du vent —,
> Il en résulte :
> Soit de fines voilures verticales, sorte de brise-bise fort tendus,
> Soit des voilettes d'automobilistes comme aux temps héroïques du sport,
> Soit des toilettes de brocanteurs,
>
> Soit encore des hamacs ou linceuls assez pareils à ceux des mises au tombeau classiques ».[67]

A remarquer ici que la structure poétique correspond à des segments parallèles ponctués par l'anaphore de "soit".

Il faut ensuite remarquer que la poésie joue souvent chez Ponge le rôle d'un fixateur. Elle reprend en vers ce qui a été élaboré précédemment. C'est pourquoi de nombreux textes ne présentent une structure en vers qu'à la fin. Ainsi encore des "Hirondelles" ; ainsi surtout des divers textes de *La Rage de l'expression*, notamment du "Carnet du bois de pins" ou du "Mimosa". Il n'est pas impossible cependant de trouver en chemin quelques premiers essais, non repris par la suite. Ainsi "Le Mimosa" offre un unique exemple d'acrostiche :

« MIraculeuse
MOmentanée
SAtisfaction

MInute
MOusseuse
SAfranée ! ».[68]

Il faut enfin remarquer qu'il existe deux formes de poésie : une poésie affichée et une poésie cachée. La poésie affichée, c'est une poésie habituelle en vers et formes déterminées, avec mètres réguliers.

Quant à la poésie cachée, c'est celle qui se refuse un peu comme telle, ou qui laisse le soin au lecteur d'en découvrir les composantes ou les artifices, comme dans "L'Araignée".

On trouve aussi souvent de la prose rythmée, où le rythme n'est pas d'abord apparent, et il n'est pas impossible de parler de poème en prose à propos de nombreux textes. Presque tous les textes du *Parti pris* en sont. Ou alors Ponge nous offre des versets. Ainsi comme on avait proverbe et paragraphe, on a verset et poème en prose. Et bien sûr, il est des caractéristiques pour attester la présence de ces formes de poésie, en particulier les séries associatives sonores, en particulier allitérations ou assonances, plus que les rimes ou les diérèses.

Telle est la fonction de la poésie dans l'œuvre de Francis Ponge : un outil utile, mais non point nécessaire ; utile surtout pour fixer tant le texte que l'attention du lecteur, notamment sur les recherches d'une imitation et les dangers d'un lyrisme qui oublierait l'essentiel, c'est-à-dire les choses. A ceux qui n'en seraient pas convaincus, citons un dernier passage :

« La figue
« J'avoue ne trop savoir ce qu'est la poésie, mais savoir parler d'une figue peut suffire (suffirait) à me consoler.

« Pas grand chose évidemment qu'une figue, seulement voilà
Une de ces façons d'être, j'ose le dire,
Ayant fait leurs preuves
Qui les font quotidiennement encore
Et s'offrent à l'esprit sans lui demander rien en échange
Qu'un minimum de considération.
« Mais nous plaçons ailleurs notre devoir ».[69]

Oui, "seulement voilà", seulement cela. Seulement vois là. Seulement ce regard, et l'homme serait changé, nouveau, sauvé. Non plus en quête d'Idées ou de Sentiments. Seulement d'un monde qui fonctionne, d'un monde RÉCRÉÉ.

La mission de l'écrivain Ponge est donc là. Il lui faut réactiver le langage, le faire fonctionner, pour parvenir à un autre fonctionnement, celui du monde. L'essentiel est de trouver le jeu intérieur qu'il suffit de mettre en route. Il lui faut tenter l'impossible, faire coïncider sa compréhension du monde et le verbe qu'il a rénové. De cette osmose dépend l'étincelle de vie. Et cette réaction, seule la récréation, dans sa plénitude, peut la lui offrir.

NOTES :

1. *"Raisons de vivre heureux"* Proêmes *in* TP, *p. 190 (*PPC, *p. 167).*
2. *"My Creative Method" in* GRM, *p. 36 (*M, *p. 37).*
3. CFPP, *p. 93.*
4. *"Berges de la Loire" in* RE, *p. 10 (*TP, *p. 258).*
5. PM, *p. 70.*
6. *"La Pratique de la littérature" in* GRM, *p. 265 (*M, *p. 271).*
7. *"L'Edredon" in* GRP, *p. 60(*P, *p. 55).*
8. *"La Guêpe" in* RE, *p. 27 (*TP, *p. 270).*
9. *"Le Volet suivi de sa scholie" in* GRP, *p. 117-121 (*P, *p. 103-106).*
10. *M. Riffaterre : "Ponge intertextuel" in* Etudes françaises *n° 17/1-2 avril, 1981, p. 74.*
11. *"Fables logiques" in* GRM, *p. 181 (*M, *p. 188).*
12. Colloque de Cerisy, *p. 66-84.*
13. *Idem, p. 68.*
14. *"Prose à l'éloge d'Aix" in* GRL, *p. 127 (*L, *p. 59), M. Riffaterre commente le mot dans l'article précité, p. 69 sqq.*

15. *"L'Araignée" in* GRP, *p. 130 (*P, *p. 114).*
16. *M. Riffaterre : "Ponge tautologique ou le fonctionnement du texte" in* Colloque de Cerisy, *p. 82.*
17. *"My Creative Method" in* GRM, *p. 41 (*M, *p. 42).*
18. *"Des cristaux naturels" in* GRM, *p. 200 (*M, *p. 207).*
19. *"La Chèvre" in* GRP, *p. 211 (*P, *p. 185). C'est la leçon de "Fable" : « Après sept ans de malheur / Elle brisa son miroir ».* Proêmes, TP, *p. 144 (*PGG, *p. 126).*
20. *"My Creative Method" in* GRM, *p. 21 (*M, *p. 22).*
21. *"L'Orange" in* PPC, *p. 41 (*TP, *p. 46).*
22. *"Le Gui" in* GRP, *p. 65 (*P, *p. 59).*
23. EPS, *p. 170.*
24. *M. Spada :* Francis Ponge, *p. 48-49.*
25. *"Les Hirondelles" in* GRP, *p. 190-194 (*P, *p. 167-170).*
26. *"Le Cheval" in* GRP, *p. 148 (*P, *p. 130).*
27. *"La Fin de l'automne" in* PPC, *p. 33 (*TP, *p. 37).*
28. *"L'Araignée" in* GRP, *p. 127-131 (*P, *p. 111-114). Il est bien difficile de dire à quoi renvoie le "je" final.*
29. *"Les Hirondelles" in* GRP, *p. 189 (*P, *p. 166).*
30. *"Le Verre d'eau" in* GRM, *p. 117 (*M, *p. 120).*
31. *"Le Lézard" in* GRP, *p. 94 ("argument") (*P, *p. 84),*
32. *"Les Ecuries d'Augias" in* PCC, *p. 155 (*TP, *p. 175).*
33. *"La Lessiveuse" in* GRP, *p. 83 (*P, *p. 75).*
34. *"Les Berges de la Loire" in* RE, *p. 10 (*TP, *p. 258).*
35. Nioque de l'Avant printemps, *p. 61.*
36. *Idem, p. 62-63.*
37. *Idem, p. 63.*
38. *"La Mounine" in* RE, *p. 204 (*TP, *p. 407).*
39. PM, *p. 246.*
40. *"Tentative orale" in* GRM, *p. 260 (*M, *p. 266) par exemple.*
41. *"Réponse à une enquête" in* GRM, *p. 223 (*M, *p. 230).*
42. *"Tentative orale" in* GRM, *p. 238-239 (*M, *p. 245).*
43. Pratiques d'écriture, *p. 71.*
44. Nioque de l'Avant-Printemps, *p. 64.*
45. *"La Crevette" in* GRP, *p. 18 (*P, *p. 17).*
46. *"La Guêpe" in* RE, *p. 18 (*TP, *p. 263).*
47. *"La Crevette" in* GRP, *p. 18 (*P, *p. 17).*
48. *"Le Soleil placé en abîme" in* GRP, *p. 177 (*P, *p. 156).*
49. *"Ode inachevée à la boue" in* GRP, *p. 68 (*P, *p. 61).*
50. *"Le Cheval" in* GRP, *p. 148 (*P, *p. 131).*
51. *"Les Plaisirs de la porte" in* PCC, *p. 44 (*TP, *p. 49).*
52. *"Notes prises pour un oiseau" in* RE, *p. 34 (*TP, *p. 275).*
53. *"La Fin de l'automne" in* PCC, *p. 33 (*TP, *p. 37).*
54. *"La Cruche" in* GRP, *p. 107 (*P, *p. 96).*
55. *"Première ébauche d'une main" in* GRP, *p. 133 (*P, *p. 117).*
56. Colloque de Cerisy, *p. 411.*
57. Cahiers critiques de la littérature, *n°2, p. 18.*
58. *Sartre : op. cit., p. 270.*

59. L'Ecrit Beaubourg, *p. 23.*
60. "La Pompe lyrique" in GRP, *p. 63 (*P, *p. 58).*
61. "Le Papillon" in PCC, *p. 56 (*TP, *p. 62).*
62. "L'Huître" in PCC, *p. 43 (*TP, p. 48).
63. EPS, *p. 115. La ponctuation que nous donnons est celle donnée par Ponge dans* EPS, *p. 108.*
64. Nous renvoyons principalement à l'étude de Jean Mazaleyrat : "Le Verset claudélien dans les Cinq Grandes Odes *in* L'Information grammaticale *n°2, avril-juin 1979, p. 47-53.*
65. "Les Hirondelles" in GRP, *p. 190-191 (*P, *p. 167).*
66. Idem, GRP, *p. 194 (*P, *p. 171).*
67. "La Nouvelle Araignée" in GRP, *p. 199 (*P, *p. 173).*
68. "Le Mimosa" in RE, *p. 82 (*TP, *p. 312).*
69. CFPP, *p. 83.*

III.
Réaction, action et récréation

Dès lors, tout le projet de Ponge est la quête “vers” une coïncidence entre la matière des choses et la matière des mots. Jugée impossible par la science et notamment par la linguistique, la tâche s’annonce rude, et le pari semble perdu d’avance. Mais l’art nous a appris que souvent la réussite se fait aux limites de la science et, sans la nier, on peut la transcender. Proust non plus n’obtenait guère du passé, quand il se contentait d’efforts méthodiques et volontaires ; mais le plus souvent le souvenir surgissait par l’entremise d’une distraction. Pour Ponge, cette distraction sera ce que nous appelons récréation. C’est par elle, par cet amusement qui trouve son fondement dans un véritable humour, que l’écrivain s’efforcera de franchir la distance. Ce qu’il cherche, c’est un peu la joie du savant qui observe une réaction, c’est à cette réaction qu’il veut parvenir. Réaction pourquoi ? Essentiellement pour changer le monde, l’homme, pour miser sur le futur ; tout est dans l’avenir. Mais la récréation est perpétuelle : il faut réanimer le passé dans la jubilation présente, pour assurer un futur de Parfait Fonctionnement, de Parfaite Jubilation.

1. La coïncidence

Parler de coïncidence, c'est évoquer deux notions qui ne vont pas forcément de pair, à savoir le hasard et l'accord ; hasard de la rencontre, accord des partis. Un point commun cependant : le hasard a lieu entre deux événements, la rencontre entre deux personnes, l'accord entre deux réalités, mais souvent c'est une tierce personne qui intervient et qui paraît responsable de cette coïncidence : Dieu, inconscient ou simple catalyseur en matière scientifique, autrui ou autre chose enfin. Et c'est bien de ce type de rencontre qu'il va être question dans les textes de Ponge, avec autant d'amour que d'humour.

La rencontre et le hasard

La rencontre des choses par Ponge est essentiellement amoureuse et ne saurait être exprimée autrement. Si l'écrivain se montre disponible tant par son cœur que par son regard, s'il est disposé, comme nous l'avons vu, à être en quête des choses, celles-ci, toutes muettes qu'elles sont, ne sont pas inactives. Mais elles ont la valeur suprême de l'attente :

> « Oh ! l'héroïsme de la moindre chose. Sa vertu. Sa patience. Sa volonté d'être comme elle est, comme elle attend qu'on vienne l'admirer ; et l'aimer ! ». (*CFPP*, p. 17.)

Le plus souvent cette attente est bien plus ; c'est une véritable sollicitation. Chaque objet cherche à se faire remarquer, nous appelle, tente de nous séduire comme une femme par des regards que Baudelaire appelait “familiers”. Mais à l’inverse de Baudelaire, les choses ne veulent pas qu’on les regarde pour découvrir un autre monde inconnu, idéal ; non, elles veulent un regard pour elles ; il faut reconnaître leur importance :

> « La muette supplication, les muettes instances qu’elles font qu’on les parle, à leur valeur, et pour elles-mêmes ».[1]

Et ses instances devront se multiplier en raison des nombreux refus ; il faudra insister ; et les objets devront être pleinement eux-mêmes, c’est-à-dire objecter, se mettre en travers de notre chemin, jusqu’à ce qu’arrive enfin la considération qui apporte tant à celui qui veut bien s’y consacrer :

> « Mais certes *leur* façon d’encombrer notre espace, de venir en avant, de se faire (ou de se rendre) plus importants que notre regard,
>
> « Le drame (la fête, aussi bien) que constitue leur rencontre,
> Leur respect, leur mise en place,
> Voilà un des plus grands sujets qui soient ».[2]

Et même les choses vont jusqu’à user de tous les atouts de la séduction ; et la “provocation” du téléphone n’est qu’un exemple pour montrer qu’elles se font coquettes, aguicheuses, qu’elles savent trouver “l’arrangement” nécessaire. Et la Nature fait un appel à nos différents sens ; en véritable femme, elle sait se maquiller et se parfumer avec les produits qui conduisent aux charmes et à une intimité pouvant aller jusqu’à une communion ; en ce sens le mimosa est un orfèvre en la matière :

> « N’est-il pas beaucoup plus urgent d’insister, par exemple, sur le caractère à la fois glorieux et doux, caressant, sensible, tendre du mimosa ? Il y a de la *sollicitude* dans son geste et son exhalation. L’une et l’autre sont des épanchements, au sens qu’en

donne Littré : communication de sentiments et de pensées intimes ».[3]

Et quand l'appel est entendu, c'est Eros qui définitivement marque sa victime ; c'est l'amour avec toute sa force et sa possibilité de régénérescence, celui qui transforme complètement les personnages de Marivaux ; qui crée une relation avec des jouissances partagées :

> « Si je m'adonne à un tel sujet, c'est parce qu'il me fait jouir tout entier, parce qu'il me défie, me provoque, me paraît propre à changer mon manège d'esprit, me force à changer d'armes et de manières, me refleurit enfin comme un nouvel amour. Voilà pourquoi je l'attends à ses rendez-vous, attends qu'il jubile de lui-même, et voilà ce dont je jouis à mon tour ».[4]

Désormais donc rien ne pourra être effacé de ce qu'il faut bien appeler un coup de foudre, comme ce "coup" que reçoit Ponge un matin sous le ciel de Provence, "grand coup de gong" qui marque son destin. C'est de ce choc premier, de cette marque provoquée par la flèche de quelque Eros devenu objet, que tout dépend, puisque c'est la première inscription qu'il ne s'agira ensuite que de transcrire, jusqu'à ce que cette transcription ne fasse qu'un avec l'inscription, et que de cette union naisse l'orgasme révélant la réussite ; ainsi en est-il des vrais artistes :

> « (l'élan, ils l'ont ressenti dès le choc de la "rencontre") : c'est leur cheminement, leur tribulation à la rencontre de cette rencontre, et, finalement l'orgasme (intérieur à leur langage) qui en résulte, voilà la *fin*, à tous les sens du mot, de leur méditation, de leur travail, voilà ce qu'ils méditent d'accomplir ». (*AC*, p. 295.)

Et ce cheminement n'est pas simple ; l'artiste doit savoir faire la cour à l'objet, s'il veut entrer en sa possession. Ce qui commence par une "familiarité" avec le bois de pins, ne saurait en rester là. Car tout acte textuel est d'abord acte sexuel, lequel permet la connaissance profonde de l'autre :

> « On dit que le maréchal Lyautey (le célèbre administrateur du Maroc) ne pouvait utilement travailler avec personne — fille ou garçon — (officier de son état-major, secrétaire-dactylographe, ordonnance) qu'il n'ait d'abord fait l'amour (au moins une fois) avec elle ou lui. C'est-à-dire qu'il n'ait fait leur connaissance au fond — et réciproquement. C'est-à-dire encore qu'ils n'aient ensemble éprouvé leur mystère et ne se soient révélés l'un à l'autre dans l'acte de vie ». (*CFPP*, p. 48.)

De cet érotisme de la connaissance qui devient érotisme de l'écriture, l'œuvre de Ponge est un témoignage, après celui de nombreux écrivains. Certains textes ne sont même que des "allégories" de l'acte sexuel ; un des plus significatifs est celui du "Soleil" :

> « Soleil, monstrueuse amie, putain rousse ! Tenant la tête horripilante dans mon bras gauche, c'est allongé contre toi, tout au long de la longue cuisse de cet après-midi, que dans les convulsions du crépuscule, parmi les draps sens dessus-dessous de la réciprocité trouvant enfin dès longtemps ouvertes les portes humides de ton centre, j'y enfoncerai mon porte-plume et t'inonderai de mon encre opaline par le côté droit ».[5]

Mais toute rencontre est liée au hasard, du moins si l'on en croit les surréalistes ; particulièrement *Nadja* prouve le rôle du fortuit dans la rencontre du personnage, mais aussi des objets. Nous avons déjà montré quelle part pouvait avoir ce hasard dans une conception absolue ou relative du monde. Mais il reste à préciser sa fonction dans la connaissance. A l'inverse des surréalistes, Ponge ne voit pas a priori de hasard dans le monde ; il est beaucoup plus sensible à un déterminisme universel auquel son épicurisme devait le conduire. Selon lui, il existe dans le monde un "arrangement", même dans un espace limité ; c'est lui qui devrait frapper l'attention de l'artiste ; mais la rencontre ne se fait pas toujours, parfois même elle n'a pas lieu. On peut donc voir une fatalité a posteriori, plutôt qu'un hasard, laquelle permet la rencontre, et par la suite l'amour, dans une cohabitation quotidienne et non tragique :

> « Les grands signes ne sont pas qu'aux cieux,
> Et il n'y a pas d'instant fatal, ou plutôt tout instant est fatal.
> Ce n'est pas seulement le dernier matin qu'un homme sensible goûte dans une juste lumière la cigarette ou le verre de rhum.
> « Il se réveille dans cette disposition chaque jour ».[6]

A ce déterminisme correspond celui de l'écrivain, qui dans certains cas le poussera plus facilement vers tel ou tel objet. L'auteur du *Parti pris* et de *Pièces* souligne d'ailleurs lui-même tout ce qu'il doit à son passé pour ses descriptions, particulièrement son côté méditerranéen, son "ethnie" :

> « Ces déterminations enfantines qui ont certainement eu une importance, non seulement pour ma sensibilité, mais aussi pour la forme que j'ai dû chercher à donner à mes textes ». (*EPS*, p. 40.)

Et Ponge parle dans son *Malherbe* de l'influence de deux villes : Nîmes la romaine, Avignon l'italienne, cette marque s'ajoutant à celle des études classiques. L'artiste ne saurait renoncer à un tel passé historique ou littéraire :

> « Il est bien sûr que nous n'avons pas à abandonner, si nous voulons être honnêtes avec notre nature profonde, ce que notre *nature* tient de nos *"humanités"* ». (*AC*, p. 351.)

Qu'on le veuille ou non, l'encadrement sociologique, culturel forme la personne, dont les réactions ne sont donc pas seulement dues à l'inconscient, ou alors il faut voir dans cet insconscient une marque des diverses influences subies. Ponge reconnaît donc le poids de la vie vécue :

> « Je suis assez lourd. Lourd d'un tas de choses. Lourd de beaucoup de musées, d'expositions. Lourd d'un tas d'impressions, de sentiments, d'idées, d'enthousiasmes, de désillusions ; de tout ce que j'ai désiré, aimé, détesté, appris, oublié ; enfin de tout ce que j'ai vécu ».[7]

Pourtant, ce poids n'empêche pas que les idées arrivent à l'esprit grâce à une "étincelle" qui est due au "hasard"[8]. Ce n'est pas à redouter, bien au contraire ; car dans un tel hasard une idée en chasse une autre aussi valable, mais pas moins, et il suffit alors de se laisser aller à sa paresse irrémédiable.

Il faut aussi se demander si le hasard de la rencontre n'est pas dû à l'existence du bizarre, voire du fantastique. On sait que Baudelaire le pensait et que les surréalistes en faisaient un des fondements de leur art, dans la mesure où il était la preuve d'un irréel ou inconscient. Ponge lui s'intéresse au concret, au réel, et pour lui le fortuit, le fatal ne peut venir que de l'inouï contenu dans la matière. C'est en tout cas la leçon qu'il a reçue de Braque :

> « Transcender classicisme et romantisme par le primat donné à la matière, à l'objet, aux qualités inouïes qui en sortent ; ce que Braque nomme le fortuit (ou le fatal ?) ; par ce troisième terme : l'objet ». (Id., p. 65.)

Pas besoin d'aller chercher un idéal dans un monde surréel mystérieux ; le hasard et le mystère apparaissent dans le réel, pour peu qu'on cherche à voir et à préciser ce que l'on sent. Car c'est d'une accumulation de qualités concrètes qu'une nouvelle qualité fera surgir l'inouï.

A ce hasard d'une matière doit correspondre celui du mot. Ou plus exactement, c'est la trouvaille d'un mot ou d'une expression conforme à l'émotion reçue qui va paraître le fruit d'un heureux hasard, avant que la confirmation vienne du lexique, dans une découverte a posteriori. C'est le cas du "rose sacripant", plusieurs fois raconté par Ponge.

Voulant caractériser le rose des collines du Sahel, il pense aux chevilles des femmes algériennes, mais ne trouve pas d'adjectif qui lui convienne. Finalement le mot "sacripant" arrive, qui lui plaît d'instinct. Ce n'est que trois semaines plus tard qu'il consulte le dictionnaire :

> « Sacripant : de Sacripante, personnage de l'Arioste, tout comme Rodomonte, qui signifie "rouge montagne" et qui était roi d'Alger. Voilà la preuve. Quand on a ça, on est sûr ».[9]

Finalement, on peut donc dire que la coïncidence ou le hasard ne sont que le fruit d'un double déterminisme ; l'un intérieur au monde ou à l'écrivain, et dont la formation se perd dans le riche creuset du passé, l'autre plus scientifique, qui fait bénéficier l'auteur d'une recherche confirmant une intuition. Ponge ne saurait se passer de l'harmonie de ces données. Il lui suffit de faire jouer les rouages, d'atteindre le métalogique, de trouver une poésie où les éléments jouent entre eux, dans « une sorte de *syl-lab-logisme* ».[10]

Les possibilités d'une coïncidence

C'est donc toujours la question essentielle : peut-on espérer faire coïncider le mot et la chose qu'il désigne ? Breton disait que les mots "font l'amour". Mais il faut plus. Il faut parvenir au "coït" de la chose et de son expression, selon un terme du langage érotique de Ponge, que M. Spada a particulièrement analysé. Or, a priori, la symbiose de ces deux réalités est impossible. Tant il est vrai qu'il existe, selon les termes mêmes d'H. Maldiney, une « hétérogénéité » de « ce qui est signifié par le mot » et de « la chose rencontrée » (le σημαιν/ομενον et le τ/υγχανον de l'ancienne philosophie stoïcienne)[11]. Ponge, conscient du problème l'a exposé lui-même dans "Les sentiers de la création", prétexte à *La Fabrique du pré*. Il existe au moment où nous sommes, aujourd'hui, une différence *évidente* entre la chose et le mot qui la désigne. Et certes ces choses, nous les voyons bien comme « *répondant* (de façon bien touchante) à leur nom »[12], mais aussi comme différentes, ce qui en soi n'est pas un mal, puisque cette différence nous pousse à une meilleure attention à la réalité verbale, à un plus grand désir d'exactitude. Cependant, ces choses, nous les reconnaissons par leurs noms, il nous faut les "re-connaître" en fonction de ces noms. Et là une constatation s'impose :

> « Les choses sont, *déjà, autant mots* que choses, et, réciproquement, les mots, déjà, sont *autant choses que mots* ».[13]

Mais le but affirmé ne change pas : c'est l'union des deux qu'il faut réaliser :

> « C'est leur copulation que réalise l'écriture (véritable, ou parfaite) : c'est l'orgasme qui en résulte, qui provoque notre jubilation.
>
> « Il s'agit de les faire *rentrer* l'un en l'autre : de n'y voir plus *double* : que les deux apparences se confondent (exactement) (ce que l'on appelle le *registre* en termes d'imprimerie). (Id.)

Or cette confusion a existé à l'origine ; comme la Genèse nous montre qu'Adam nommant les animaux les fait exister, Ponge pense que dans la nomination première, les deux ne faisaient qu'un, et que ce n'est que le temps qui les a séparés. Il faut donc retrouver ce lieu et ce temps premier des racines. Comme le montre H. Maldiney, quand la racine ne renvoie pas au pathos, elle « désigne un acte ». Et ce n'est que l'histoire de la langue qui a fait de cet acte un concept ; on a vu apparaître des "significations-prédicats" et "l'articulation s'est thématisée en structures"[14]. Or c'est bien là que va s'affirmer toute l'originalité de Francis Ponge. On ne saurait lui appliquer « une explication de type structuraliste ». Et H. Maldiney montre alors que c'est justement l'acte créateur qui peut mieux faire comprendre, dans l'œuvre de F. Ponge, une possible mimésis :

« Une poésie qui se propose de mettre au jour le *code* de la langue en méconnaît la *forme intérieure.* Elle canonise la synchronie, sans apercevoir sous elle la diachronie non pas historique et chronothétique, mais chronogénétique et tensionnelle qui fait de la langue un acte et de sa forme intérieure non pas une Gestalt mais une *Gestaltung* — une forme en formation. Comme Hölderlin, F. Ponge cherche à atteindre sous l'état "perconstruit" de la langue intégralement thématisée en signes autoptiques, le moment cryptologique de son auto-genèse, la *dynamis* qui ne cesse d'en fonder la *thésis* ». (Id.)

Ainsi la nomination est un « acte perpétuellement incohatif », la parole est en perpétuelle gestation, le texte est voué à une continuelle *récréation.*

Mais pour aider à cette gestation, F. Ponge use de moyens propres. L'un des principaux est l'usage de l'intermédiaire. En quelque sorte, il ne s'agit pas seulement de rapport choses-mots, mais, par une sorte de déviation, mais en fait fausse déviation, du rapport choses-acte d'écriture. Et il est donc question de tout ce qui concerne cet acte d'écriture, et d'abord bien sûr l'art poétique, ce qui comprend bien des éléments :

« C'est le rapport de la forme exactement, figurativement, minutieusement décrite, à une vérité d'esprit.
C'est le rapport de la forme de chaque objet
avec
l'art poétique de cet objet, c'est-à-dire
à la fois
avec le symbole caractérologique (complexe de sentiments et de qualités) (...)
le symbole
logique ou métalogique ou rhétorique
(la rhétorique de chaque objet),

> le symbole de la difficulté poétique, du travail de l'esprit du créateur ». (*CFPP*, pp. 16-17.)

Mêler ainsi, à la suite d'Horace dans ses lettres à Pison, la "Creative Method" et l'objet de sa considération, c'est exprimer la rencontre sublime entre la volonté artistique et l'attrait des choses, dans le meilleur respect, la meilleure égalité et le meilleur échange.

Mais finalement grâce à cet intermédiaire, on découvre qu'il existe trois personnes en présence : les choses, les mots et l'écrivain ; et c'est du rapport entre deux de ces personnes qu'il sera question dans les textes. Il arrive cependant que dans des moments privilégiés la troisième personne soit présente. C'est ainsi que le rapport entre la boue et l'homme qui s'y attache, ou qui y est attaché, fasse apparaître la présence du signe :

> « Il faut la gratter au couteau. Avant que de retomber en poussière — comme c'est le lot de tous les hydrates de carbone (et ce sera aussi votre lot) — si vous l'avez empreinte de votre pas, elle vous a cacheté de son sceau. La marque réciproque... ».[15]

Ainsi de tout vestige, de toute inscription, de toute marque. La tierce personne est même indispensable, c'est un "moyen" et dans *Le Savon*, Ponge montre cette nécessité de l'*avec* :

> « Et il faudrait, bien sûr, à ce point de notre réflexion, prendre à bras-le-corps la notion de *l'avec*, c'est-à-dire ce mot lui-même. Qu'est-ce donc qu'*avec*, sinon *av-vec, apud hoc* : auprès de cela, en compagnie de cela.

> « Ne serait-ce donc pas son entrée en société, sa mise en compagnie de quelque autre (être ou chose), enfin de quelque objet, qui permettrait à quiconque de concevoir son identité personnelle, de la dégager de ce qui n'est pas elle, de la décrasser, décalaminer ? De *se* signifier ? ». (*S*, pp. 127-128.)

De quoi parodier, non sans malice, Jean-Paul Sartre :

> « Notre *paradis*, en somme, ne serait-ce pas les autres ? ». (Id.)

Dans ces conditions, on comprend mieux la part que joue l'autodescription de l'auteur dans l'œuvre. Il y a bien en effet de quoi constituer une autobiographie, d'autant que Ponge prend un soin attentif à donner les dates de ses écrits. Et, vu la forme prise par certaines pages, il faut bien parler d'un journal, ou même rapprocher les *Essais* de Montaigne, tant il est vrai qu'il se peint, et qu'il multiplie aussi les citations antiques. D'ailleurs Ponge a le projet d'une œuvre de ce type.

Ainsi l'auteur est partie intégrante de son œuvre d'art. Il signe, mais toujours « à l'intérieur »[16]. Il est le participant de la recherche et sa présence est un témoignage nécessaire, mais jamais ostentatoire. Décrire l'activité d'un créateur heure par heure ou jour par jour, en témoignant de tout l'entourage de cette création, comme c'est le cas par exemple de cette "Nioque de l'Avant-Printemps" avec ses diverses bourrasques d'avril, n'est pas forcément un compte rendu pour soi, mais certainement une parenthèse factice qui ne peut que s'ouvrir sur l'objet même du texte. L'écrivain joue là un rôle de miroir "réfléchissant" les choses. Et si l'objet ne parvient pas à être dit, parce que d'abord il n'a pas la force suffisante de s'exprimer, ou qu'il la dépense en pure perte, comme les arbres qui ne font que "du vert", on peut néanmoins évoquer les rapports de l'auteur et de l'objet, leur vie commune, qui contribueront à parfaire la connaissance de cet objet. Et toutes les circonstances entourant la "familiarité" d'une chose sont à dire, y compris le travail et les échecs éventuels de l'artiste.

On pourra retrouver à l'envi ces relations anciennes, qui vaudront mieux que n'importe quelle idéalisation des choses, n'importe quel mutisme dû à un constat d'échec. C'est un peu le *Temps retrouvé* de Proust, dans la mesure où l'on a la joie de posséder tout autant les choses que soi-même. Il y a donc bien une part de vérité dans ce jugement d'Audisio :

> « Je crois que l'artiste ne peut pas prétendre à mieux que d'éterniser le moment conjoint de la chose et de lui ».[17]

Il n'est donc pas rare de surprendre l'artiste en « flagrant délit de création »[18], puisque lui-même attache autant d'importance à la création en acte qu'à la chose créée :

> « Je me regarde écrire. Des textes comme la *Creative Method* ou le *Verre d'eau* sont significatifs à cet égard ». (*PM*, p. 70.)

Le journal de Ponge comprend donc normalement des indications temporelles, des dates, utiles d'ailleurs pour rendre compte de la genèse des œuvres et que l'auteur prend soin d'indiquer tant au début de ses textes que dans la table des matières. Elles peuvent permettre un classement, mais elles attestent plutôt des conditions de la création. Il peut y avoir aussi des dédicaces, mais elles sont finalement rares, et s'expliquent soit par des circonstances particulières (décès d'un ami), soit par une intention esthétique marquée, comme la dédicace à Odette dans *La Chèvre* qui, selon Thomas Aron, confirme la féminité du titre en l'intégrant cependant au texte, puisqu'elle suit une citation de Malherbe (allusion déjà à la nourriture finale dans cette mauvaise herbe qui deviendra fourrés)? Plus fréquentes sont les allusions à la vie personnelle, tous les événements d'une journée ayant trait sans aucun doute, comme les choses entourant l'écrivain, à la gestation de l'œuvre. Ainsi de ces vicissitudes intervenant en pleine méditation, présentées ici entre parenthèses :

> « Complètement abruti par la visite du préfet, je n'ai pu pousser plus loin...)
> « Sidi-Madani, lundi 29 décembre 1947.
> « Aujourd'hui, c'est le défaut de courrier et notre inquiétude consécutive qui m'ont empêché... J'ai

> décidé alors de téléphoner par radio à Paris, et maintenant, ça va ! ».[19]

Ces allusions peuvent être de véritables explications biographiques, comme dans le *Malherbe*, ou un véritable journal marquant tant les lieux que les occupations ou les méditations de la journée, comme ces "Pochades en prose" de fond et de forme variés. Ce peut être aussi des indications de la vie privée ou personnelle, comme on en trouve dans "Le Verre d'eau". Il convient de signaler que ces remarques sont tantôt intégrées au texte qu'elles contribuent à former, tantôt mises à part, comme des notes de didascalie, mais de toute façon indispensables, et plus encore dans un texte où le verre et l'eau se doivent de donner un reflet de la maison où il se trouve :

> « Les coqs chantent. Le soleil luit plus jaune.(...)
> Tout cela n'a aucun rapport avec mon sujet. C'est parce que j'attends.(...)
> Il y a quelques bruits humains : volets, pas, cris d'enfants et quelques cornes d'auto.(...)
> AH ! VOILA LES 10 HEURES MAINTENANT QUI SONNENT.
> JE M'ARRÊTE.
> Je vais essayer, après avoir roulé une cigarette (...) de réaliser ou préparer l'INTÉGRATION DES NOTES PRÉCÉDENTES au plan ci-dessus (...)
>
> Armande se lève, j'entends les premiers bruits de volets dans notre propre maison. Roulons la cigarette et allons-y voir, allons l'embrasser. Odette ne tardera pas elle non plus... CAHIER, POSE, PLUME, POSÉE. Odette ouvre sa porte, elle frappe, LA VOICI ».[20]

Ce journal est donc presque un roman présentant "la vie d'un homme"[21]. En tout cas, comme dans l'expression de Braque, pour Ponge, "la vie et l'œuvre ne font qu'un"[22].

Il n'est alors en rien étonnant de voir figurer dans un même *Recueil* tout ce qui fait l'œuvre, autant les *Méthodes* que les *Pièces* et il est vain, et même contraire à cette œuvre, de vouloir séparer les deux. C'est dire la cohérence de l'ensemble des textes de Francis Ponge. D'ailleurs puisque les *Pièces* et les *Méthodes* ne font qu'un, il est fréquent de voir associés dans une même page ou une même composition les deux éléments : texte et journal :

> « Même *Le Parti pris des choses*, qui semble un livre homogène, comportant des textes qui pourraient être considérés comme faisant partie d'un journal poétique (par exemple "Faune et Flore"), à côté d'autres tout à fait clos et qui ressemblent à des bibelots, à des objets poétiques ».[22]

Toute l'œuvre serait donc une suite de journaux et de petites "bombes" prêtes à éclater, comme des fleurs qui dispersent leurs graines. Mais ce serait oublier une des parties essentielles de l'œuvre pongienne, à savoir la critique. Car *Le Grand Recueil* comprend bien trois tomes, même si en général on s'est beaucoup moins attaché à ce premier volume, et ces *Lyres* comprennent une majorité de textes consacrés à la critique. Quant au *Nouveau Recueil*, il est formé d'un amalgame de textes clos et de textes critiques. Et ce n'est pas tout. Que dire du *Peintre à l'étude*, de *L'Atelier contemporain*, dont la parution a attiré un peu plus l'attention sur ce genre d'écrits, même si pour une grande part ils sont une reprise. Que dire aussi de ces multiples articles publiés à part ? Comme les *Curiosités esthétiques* tiennent une place importante dans l'œuvre de Baudelaire, ces ouvrages de Ponge orientent de façon intéressante l'analyse.

Cette critique concerne plusieurs arts : la peinture ou la sculpture, la littérature et même la musique. La musique, il est vrai, est la moins représentée avec un texte sur Rameau dans "La Société du génie", et différentes allusions, surtout à J.-S. Bach, dans *La Fabrique du pré*, et à l'Opéra à propos du spectacle des *Illuminations*. La critique littéraire porte sur les anciens, notamment les Latins

(Horace et Lucrèce principalement), sur les classiques (essentiellement Malherbe et La Fontaine, parfois aussi Boileau, La Bruyère ou Pascal) et les modernes (Baudelaire, mais plus encore Rimbaud et Lautréamont, et surtout Mallarmé). Dans la période contemporaine, on sait que la préférence va à Proust et Claudel, sans oublier toutefois les surréalistes (Breton, Artaud, Char), A. Camus et bien entendu J. Paulhan. Cependant, on ne trouve dans le *Nouveau Recueil* que deux textes consacrés à Jules Romains et L.-P. Fargue[23].

Cependant, c'est la peinture, et éventuellement la sculpture qui dominent. De fait, ses activités ont conduit F. Ponge à fréquenter de nombreux peintres, notamment Braque. D'autre part, depuis les surréalistes, on constate que les peintres et les poètes travaillent beaucoup ensemble, sans doute parce que leurs recherches d'expression se rencontrent dans la matière et les figures[24], et se complètent, la peinture étant connaissance "de vue" et la parole connaissance "de nom"[25]. Si bien qu'à l'alliance poésie-musique vient s'en ajouter une autre : poésie-peinture, comme on a pu le montrer pour Eluard. Francis Ponge a certainement privilégié certains artistes, peut-être parce qu'il les a plus "rencontrés" (Braque, Picasso, Fautrier, Giacometti, Kermadec), mais surtout parce qu'il a retrouvé en eux ses propres options, les mêmes "desseins"[26].

Sans doute alors peut-on mieux comprendre le pourquoi de cette critique. Il s'agit souvent d'éloges, mais aussi, c'est l'occasion d'affirmer son art poétique, et c'est souvent un peu de lui-même, avec bien sûr l'originalité propre à chaque artiste, que Ponge retrouve à travers les œuvres qu'il décrit. Mais on peut dire aussi que ces tableaux ou ces sculptures sont traités d'abord comme des objets simples, ainsi d'ailleurs que le nom de leurs auteurs ou le titre de leurs œuvres. Objets simples pour être ensuite objets d'art. Ainsi Ponge commente le J de "Joca seria" ou le T de "Otages"[27]. En somme, l'œuvre d'art n'est finalement qu'un pré-texte, une occasion supplémentaire de voir comment l'écriture va s'adapter à des objets qui eux ont déjà connu le problème de l'expression.

Mais il faut voir surtout qu'il y a pour Ponge une nécessité esthétique de la critique. Son art poétique prouve le rôle indispensable d'une critique perpétuelle. Et celle-ci ne porte d'ailleurs pas uniquement sur les autres ; elle se fait sur soi, les artistes n'étant qu'une aide à sa propre interrogation. En effet, le *Malherbe* n'est-il pas de toute évidence un recueil fixant l'art poétique de Ponge ? Mais aussi, dans une œuvre où la création est un perpétuel retour de variation en variation, où sortir du sujet c'est encore y être, il va de soi que la critique est un principe inhérent de cette création :

> «Non, il n'y a aucune dissociation possible de la personnalité créative et de la personnalité critique. Même si je dis tout ce qui me passe par la tête, cela a été travaillé en moi par toutes sortes d'influences extérieures : une vraie routine. Cette identité de l'esprit créateur et du critique se prouve encore par l'"ANCH'IO SON' PITTORE" : c'est devant l'œuvre d'un autre, donc comme critique, que l'on s'est reconnu créateur ».[28]

Car la vraie critique permet à chaque fois d'aller plus loin dans la recherche de sa vérité et d'atteindre, dans une succession de refus, le mystère authentique, dont la critique seule fait prendre conscience.

La critique n'apparaît donc que comme une forme raffinée d'un détour utile à la création et permettant de mieux confondre objet et parole. Et certes il n'y a pas plus désinvolture maladroite à raconter les divers faits accompagnant l'écriture, à sembler oublier son sujet, que curiosité dans ce "mariage de la critique et de la création"[29]. Tout contribue à l'élaboration définitive, à l'arrangement final et ce n'est qu'un des modes de la récréation :

> « Lors le roy ... print son escu que portoit l'un de ses escuyers et son glaive, et après se polit et acoustra de ses armes ». (*CFPP*, p. 6.)

L'objeu

Car le mode essentiel, c'est la récréation même, le jeu avec tout ce que ce mot implique :

> « Entendez jeu au double sens d'hiatus, de looseness — et d'amusement, d'exploitation ludique de cette déhiscence ».[30]

C'est là qu'est l'unique question : il y a un fossé entre les mots et les choses, fossé agrandi par les âges ; mais c'est là aussi qu'est la solution : dans la mise à jour de cette "déhiscence" et dans l'amusement de sa proclamation, amusement conscient surtout du jeu qui existe entre les deux pièces principales : mots et choses, jeu de l'objet mot-chose qui doivent devenir jeu de mots.

Par conséquent, une des attitudes essentielles de Ponge est l'humour. Cet humour n'est pas celui des surréalistes, si l'on considère que pour eux l'objet apporte en quelque sorte un dérivatif qui met en rapport des données au lien absurde, que c'est finalement plus une ironie nécessaire contre un monde insoutenable, qui cherche à l'annihiler, alors que Ponge veut le faire exister. Il est pourtant semblable, si l'on considère les recherches sur l'étrange pouvoir du jeu de mots qu'ont pu redécouvrir des poètes comme Jacob ou Desnos. L'humour de Ponge se rapprocherait de l'ironie socratique qui d'ailleurs n'est ironie que dans un premier temps, dans la mesure où il se propose ensuite "d'accoucher la vérité", la vérité de la déhiscence. Car l'humour apparaît le plus souvent après la prise de conscience d'un manque, et loin de le cacher, il cherche à l'avouer pour mieux le faire reconnaître. C'est non seulement "un art d'exister" comme le dit Escarpit, mais aussi un art de "faire exister".

L'humour de Ponge se définira donc comme une conscience du vide entre mots et choses et en même temps comme le moyen poétique (c'est-à-dire par une création qui ne fait qu'employer la matière existante) de le franchir par la grâce d'une connivence, d'un clin d'œil amusé.

Cependant il faut bien voir que c'est *en même temps* l'étalage du procédé, sa dénonciation. Une fois de plus, énoncer et dénoncer. Et ce qui compte alors, c'est la réaction du lecteur. Mis dans le jeu, conscient même du bond que l'auteur s'apprête à franchir, mais en même temps profondément amusé, conscient aussi qu'il est dégagé de toute critique par les efforts *évidents* (c'est-à-dire qui comblent la "viduité"[31] antérieure) de l'auteur dans son autocritique, dans l'excès de ses procédés, il ne peut qu'acquiescer, être en repos. Comment peut-on alors condamner les multiples calembours de Ponge, puisqu'ils sont volontaires, puisque ce sont les procédés les plus gros du jeu de mots, et que c'est pour cette raison même que l'auteur les emploie ? Toutes les tentatives d'adaptation du texte à l'objet, que nous avons déjà vues, toutes les confusions cherchées entre le signifiant et le signifié vont en ce sens. Mais le calembour, souvent associé à la contrepèterie, dans la mesure où il représente le mieux cet humour affiché de Ponge, mérite qu'on s'y attarde ici.

Pour qu'il soit bien *clair* que Ponge s'en prend aux calembours et à celui qui en fait, c'est-à-dire lui-même, commençons par lui laisser faire sa critique, dans un texte (*Le Verre d'eau*), où le calembour, comme l'allégorie, "habite un palais diaphane" :

> « Un pareil brutal, un pareil butor, faiseur de mauvais calembours, de pareilles turlupinades, oser nous parler de délicatesse ! ».[32]

Il arrive aussi que l'emploi du calembour soit dénoncé par une parodie évidente, à laquelle se surajoute une allusion au procédé. C'est ainsi que le "mimosa" contient en son terme le "mime", source du calembour et condamnation simultanée du principe même de cette mimologie ; c'est pourquoi tout en parodiant en quelque façon une certaine "Tour Magne à Nîmes", il fait plus en surdéterminant le procédé :

> « Un fervent de la pantomime osa
> Enfer ! Vendre la pente aux mimosas ».[33]

Le calembour, si mauvais soit-il, a au moins un mérite en général, c'est de dénoncer l'arbitraire du signe tout autant que le polysémantisme. Le procédé est fréquent, soit que rien n'y prépare, sinon le souvenir enraciné d'une vieille formule ou l'emploi de l'à-peu-près :

> « Le flot venu de loin sans heurts et sans reproche ».[34]

soit qu'au contraire, la matrice soit donnée, comme pour insister sur un procédé déjà plus que voyant :

> « Chic ! Un reptile à pattes ! Est-ce un progrès ou une dégénérescence ? Personne, petit sot, n'en sait rien. Petit saurien ».[35]

Et finalement le calembour renvoie le texte à lui-même. Il a englobé l'objet, comme le lézard la mouche. Désormais, il ne sera plus possible d'évoquer l'objet sans son contenant, le texte.

On conçoit que de tels calembours suppose un lecteur attentif ; si l'auteur est au "trône" de la paresse, le lecteur est au pupitre, mais il est vrai, pour y faire aussi le pitre... Toujours est-il que tous les textes ont l'air de supposer un décryptage, et que le lecteur peut toujours craindre d'oublier un sens ; le voilà lui aussi impliqué. D'autant que parfois, le calembour, voire la paronymie, est bien caché. Dire que la chèvre a une "cornemuse"[36] pour évoquer ses tétines, c'est faire plus qu'une analogie qui pourrait pourtant suffire. C'est insister sur la corne, mais aussi sur la muse poétique ou la musette se trouvant entre ces pattes, le tout pour s'amuser, bien sûr. Parfois aussi le calembour cache autre chose, comme pour réserver aux seuls initiés le fruit de sa méditation ; ainsi du rythme de l'alexandrin dans "L'Araignée".

Mais une telle ostentation qui va jusqu'à l'excès montre bien que Ponge est parfois obligé de "forcer" le signifié à rejoindre le signifiant, de faire en sorte que la synonymie rejoigne l'homonymie. Mais cette fois Ponge s'en cache moins ; au contraire, il montre sa "rage de l'expression" ;

et son humour vient comme justifier a posteriori l'audace de l'entreprise. L'outrance peut porter sur l'à-peu-près où il faut rendre compte de la différence de son pour l'annihiler, ou expliquer tel graphème superflu pour en confirmer l'existence. C'est ainsi que se justifie le "s" de "ustensile" :

> « Littré dit qu'ustensile vient d'uti (servir, racine d'outil) et qu'il devrait s'écrire et se dire utensile. Il ajoute que l's est sans raison et tout à fait barbare. Je pense pour ma part qu'il a été ajouté à cause justement d'ostensible, et qu'il n'y a là rien de barbare, quelque chose au contraire d'une grande finesse ».[37]

Mais la "déformation" ou plutôt la re-formation porte surtout sur une étymologie, dont l'explication paraît défectueuse, même chez Littré (mais il arrive à Ponge de souligner qu'il y a dans le Littré bien des origines incertaines). Ponge, fort de sa hardiesse, n'hésite pas à faire "remonter" (pour son araignée) de funus à funis, pour parvenir à son analogie : "funambule funeste"[38]. Mais c'est certainement l'exemple du *Pré* qui est le plus révélateur. Si la racine de Nature permet à Ponge, non sans joie, de parler de "gnature des prés", il lui est bien plus difficile (et même impossible étymologiquement) de rapprocher les mots pré, près, prêt, et même le prai- de prairie..., sans oublier l'essentiel, le "préfixe des préfixes", le pré-. Mais si l'étymologie est défectueuse, il faut s'en tenir à son "intuition" ; et d'ailleurs il y a dans le signifiant suffisamment d'éléments pour alimenter une "proximité"[39] proche de près ; Ponge force alors le signifié, en en gardant cependant la base.

Et l'essentiel est de trouver des mots qui soient « conducteurs de l'esprit » en allant, s'il le faut, au néologisme.

Le néologisme est rendu nécessaire par l'évidente pauvreté du langage en face de la réalité. Ainsi lorsqu'il dit que « Le lézard *s'alcive* », il ajoute :

> « (obligé d'inventer ce mot) ».[40]

Le vrai néologisme, c'est évidemment celui qui justifie à la fois d'une recherche créatrice et d'une confirmation *a posteriori.* Ainsi de « l'amphibiguïté salubre » de l'automne ; ce mot-valise sied bien pour définir le "caractère" du sol en automne, mais en même temps justifie le procédé même du mot-valise, en évoquant l'ambiguïté nécessaire, "salubre" pour l'écrivain, de l'expression[41]. Il en est de même de cette peinture de la chèvre :

> « Ces belles aux longs yeux, poilues comme des bêtes, belles à la fois et butées — ou, pour mieux dire, belzébuthées — quand elles bêlent, de quoi se plaignent-elles ? De quel tourment, quel tracas ? ».[42]

Ici encore, le calembour rend compte du caractère bien connu de la chèvre, mais légitime aussi la traditionnelle représentation de Belzébuth, démon cornu à la belle barbichette condamné à l'enfer. Et c'est là même qu'il y aurait une troisième justification, celle de la citation en exergue, celle de *Mal*herbe... :

> « Et si l'enfer est fable au centre de la terre
> Il est vrai en mon sein ».[43]

Le mot-valise ou le mot accouplé est donc un correspondant à une double analogie qui se trouve réduite en une seule réalité. Un apparent changement de suffixe permet la création d'un mot composé dont le deuxième élément n'a plus beaucoup de rapport avec son homonyme, mais dont la vérité (truisme) explose au bon moment ; et ce sont les "tonitruismes parfumés"[44].

Cette création est d'autant plus intéressante (et somme toute d'autant moins évidente) que par ailleurs Ponge crée des néologismes de façon plus ordinaire (par la dérivation). Ainsi des adjectifs "viandeux", "solleilleuse" et des dénominatifs répertoriés par M. Spada[45].

Enfin, un autre type de néologisme est créé par l'altération orthographique qui s'explique par un à-peu-près suggestif ("patheuse" à la place de pâteuse pour qualifier une idéologie) ou un mot-valise caché (échrivain à partir d'écheveau)[46]. Mais le procédé n'a rien d'original, tant il a été usé par d'autres écrivains.

Ce qu'il faut donc retenir de cet humour, c'est son côté ostentatoire, comme si Ponge, en exposant le mal du langage, en éliminait l'outrecuidance, permettant d'atteindre, par cette connivence, la coïncidence :

> « Dès qu'il s'expose, il marche ».[47]

Mais pour que ça marche vraiment, il faut franchir un dernier pas et aller jusqu'à ce que Ponge appelle "l'objeu", et qui est une forme close de l'humour permettant que tous les "jeux" intérieurs se fassent, que tous les éléments de la récréation solaire puissent opérer. En voici la définition :

> « L'objet de notre émotion placé d'abord en abîme, l'épaisseur vertigineuse et l'absurdité du langage, considérées seules, sont manipulées de telle façon que, par la multiplication intérieure des rapports, les liaisons formées au niveau des racines et les significations bouclées à double tour, soit créé ce fonctionnement qui seul peut rendre compte de la profondeur substantielle, de la variété et de la rigoureuse harmonie du monde ».[48]

Il y a donc bien plus qu'un jeu de mots dans cet objeu. C'est la constitution d'un monde propre au langage, qui reprenne dans sa complexion et dans son principe le Monde même, au point de le remplacer. Sa nature comprend deux fléaux qui menacent sa vie même : l'arbitraire du signe et le polysémantisme ; mais il a de quoi les combattre en remettant le langage dans l'état de son dynamisme naissant et en bouclant les significations. Sans doute il y a quelque chose de scientifique dans ces rapports qui dans une sorte de déterminisme aident à sa marche ; mais il y a plus que cette logique ; il y a un métalogique qui veut qu'on entende "réson" de cet ensemble, qui est "plus-que-raison"[49]. Il y a un bouillonnement intérieur, celui de la lessiveuse, une anima au sens épicurien, qui trouve sa force dans l'objet de l'émotion et ne s'en détourne jamais. Et même c'est une *réaction* qui se produit, par la réflexion récriproque des mots.

Et certes, c'est bien Epicure qu'on retrouve, non seulement dans la conception de la Nature, mais aussi dans les rapports de ces deux mondes. L'un est profondeur, variété, harmonie ; l'autre mystère, pluralisme et accord. Rien d'étonnant d'ailleurs, puisque la matière de l'un se retrouve dans l'autre, que l'un n'est que le simulacre de l'autre :

> « *Simulacres*, faits d'atomes aussi réels (matériels) que l'objet dont ils émanent ». (*AC*, p. 298.)

Le texte n'est donc finalement qu'un ensemble de mécanismes devant aboutir au fonctionnement. Et il faut bien voir que ce sont les mots eux-mêmes qui créent le branle nécessaire :

> « A chaque instant du travail d'expression, au fur et à mesure de l'écriture, le langage réagit, propose ses solutions propres ». [50]

Et cette réaction passe naturellement par un arrangement des mots. Certes, l'écrivain est un instigateur, mais l'essentiel est à l'intérieur des mots, et c'est à eux de le montrer :

> « En somme, il faut que ces mots soient tels que placés par moi, devant moi, comme des portes, ils *s'aident eux-mêmes à s'ouvrir* (qu'ils soient garnis eux-mêmes de l'œil électronique qui leur fasse, à mon passage, *à la seule intention de mon passage,* s'ouvrir ». (*FP*, p. 20.)

Telle est l'importance de la coïncidence : rencontre des choses et des mots, qui peut se réaliser selon un hasard qui ressemble plus à l'humour qu'au fortuit, qui a nom “objeu”, en créant une réaction dans ce nouveau complexe verbe-chose. Toute réaction suppose une suite. Or, s'il existe une philosophie dans l'œuvre de Ponge, on la trouve dans cet avenir, dans un activisme profond qui caractérise l'œuvre :

« — On voit la difficulté ! — Quelle difficulté ? Mais ce n'est pas étonnant ! Puisqu'enfin ces mots, leur tracé, sont aussi votre *façon* de passer, de cheminer (leur tracé, c'est-à-dire, leur *prononciation* par la plume, leur *profération* (...). Ainsi sont-ils à la fois portes, clefs et serrures. — Nous n'en sortirons pas !

— En effet. L'idée, l'espoir d'*en sortir* ne serait-elle pas, par elle-même, une idée folle ? Tout n'est jamais que ré-inscription, mais ceci comporte une notion *active* (ce en quoi consiste la vie) ».[51]

Réinscription, et en somme, grâce à l'objeu, ré-création...

NOTES :

1. "Les Façons du regard" Proêmes *in* TP, *p. 137 (*PPC, *p. 120).*
2. "De la nature morte et de Chardin" in NR, *p. 171 (*AC, *p. 232).*
3. "Le Mimosa" in RE, *p. 79 (*TP, *p. 310).*
4. "Entretien avec Breton et Reverdy" in GRM, *p. 299 (*M, *p. 307-308).*
5. "Le Soleil placé en abîme" in GRP, *p. 187-188 (*P, *p. 165).*
6. "De la nature morte et de Chardin" in NR, *p. 174 (*AC, *p. 235).*
7. "Pierre Charbonnier" in GRL, *p. 60 (*AC, *p. 81-82).*
8. Nioque de l'Avant-Printemps, *p. 36.*
9. "La Pratique de la littérature" in GRM, *p. 282-283 (*M, *p. 288-289). Même explication dans "My Creative Method" in* GRM, *p. 23-24 (*M, *p. 24-25).*
10. "La Nouvelle Araignée" in GRP, *p. 200 (*P, *p. 174).*
11. H. Maldiney : Le Legs des choses dans l'œuvre de Francis Ponge, *p. 91.*
12. FP, *p. 25. C'est aussi le drame vécu dans "Fable" in* PCC, *p. 126 (*TP, *p. 44).*
13. FP, *p. 23. Ponge parle même de "mots choses" dans "Braque, un méditatif à l'œuvre" in* AC, *p. 312 ; cf. aussi : "Les mots sont des concepts, les choses des conceptacles", "La Table"* Etudes françaises *17/1-2.*
14. H. Maldiney : op. cit., p. 95.
15. "Ode inachevée à la boue" in GRP, *p. 69.*
16. "Le Volet" in GRP, *p. 119 (*P, *p. 105).*
*17. "Le Carnet du bois de pins" in*RE, *p. 65 (*TP, *p. 377) et critique par Ponge,* RE, *p. 203-204 (*TP, *p. 406). Dans l'*Ecrit Beaubourg, *Ponge avoue même la coïncidence entre son œuvre critique et le Centre, par le biais du fonctionnement,* EB, *p. 12.*
18. "My Creative Method" in GRM, *p. 23 (*M, *p. 24).*
19. "My Creative Method" in GRM, *p. 17 (*M, *p. 17-18).*
20. "Le Verre d'eau" in GRM, *p. 164-165 (*M, *p. 170-171).*

21. EPS, *p. 106.*
22. EPS, *p. 104.*
23. NR, *p. 19-21 et 27-28. Dans* Pratiques d'écriture *également aussi sur Aragon et Gide.*
24. Cf. "Braque, un méditatif à l'œuvre" p. 305-312 où Ponge fait un parallèle entre la poésie et la peinture.
25. EB, *p. 16.*
26. "E. de Kermadec" in AC, *p. 320.*
27. "Joca seria". Notes sur les sculptures d'Alberto Giacometti" in NR, *p. 55 sqq (*AC, *p. 153 sqq). Notes sur les* Otages, *peintures de Fautrier in* TP, *p. 425 sqq (*AC, *p. 8 sqq).*
28. "Natare piscem doces" Proêmes *in* TP, *p. 148 (*PPC, *p. 129-130).*
29. EB, *p. 11.*
30. J.P. Richard : Onze études sur la poésie moderne, *p. 164.*
31. PM, *p. 244.*
32. "Le Verre d'eau" in GRM, *p. 166 (*M, *p. 172).*
33. "Le Mimosa" in RE, *p. 80 (*TP, *p. 311).*
34. "Horde de mer" in PPC, *p. 59 (*TP, *p. 65).*
35. "Le Lézard" in GRP, *p. 95 (*P, *p. 85).*
36. "La Chèvre" in GRP, *p. 204 (*P, *p. 183).*
37. "L'Ustensile" in GRM, *p. 218 (*M, *p. 225).*
38. "La Nouvelle Araignée" in GRP, *p. 199 (*P, *p. 174).*
39. FP, *p. 207.*
40. "Le Lézard" in GRP, *p. 97 (*P, *p. 87) (cf. Alké : élan et clivage ?).*
41. "La Fin de l'automne" in PPC, *p. 33 (*TP, *p. 37).*
42. "La Chèvre" in GRP *(*P, *p. 184).*
43. Idem GRP, *p. 208 (*P, *p. 183).*
44. "Le Cheval" in GRP, *p. 147 (*P, *p. 130).*
45. M. Spada : Francis Ponge, p. 63. Il y a aussi de nouveaux composés ; cf. par exemple "nectarothèque" "La Guêpe" in RE, *p. 23 (*TP, p. 267).
46. "L'Araignée" in GRP, *p. 130 (*P, *p. 114).*
47. "Escargots" in PPC, *p. 51 (*TP, *p. 57).*
48. "Le Soleil placé en abîme" in GRP, *p. 156 (*P, *p. 137).*
49. NR, *p. 31.*
50. "My Creative Method" in GRM, *p. 32 (*M, *p. 33).*
51. FP, *p. 21.*

2. Le projet

Une conception épicurienne du monde suppose nécessairement une vue dynamique du cosmos qui peut se résumer par la fameuse formule : “Rien ne se perd, rien ne se crée, tout se transforme”. C’est dire assez que rien n’est fixe, que rien n’est vraiment présent, puisque tout mise sur le futur, que tout est en perpétuel projet, que toute disparition conduit à une renaissance. Le langage est bien plus limité, mais, nous l’avons vu, l’écrivain qui considère que chaque texte est un nouvel exercice, remet chaque fois la parole à son état naissant. Par conséquent l’œuvre aussi est une perpétuelle recherche, une fabrique. Le poète est donc un homme d’action présente, qui mise sur le futur. Francis Ponge qui se réclame d’un monde nouveau, ne peut donc qu’affirmer une philosophie, celle d’un humanisme nouveau, c’est-à-dire tournée vers le futur.

Objet et pro-jet. Œuvre et projet

C’est une loi naturelle que celle de l’évolution. Le monde entier est un projet, dont souvent Ponge s’est fait le porte-parole. Tout d’abord une chose tend à se montrer, à s’ouvrir, et le meilleur exemple en est la fleur, dont la leçon est claire : du bourgeon, elle passe à la fleur épanouie, pour devenir (sur les arbres) un fruit dont la chute assurera la nouvelle graine et la nouvelle fleur. Et Ponge est sensible à ce désir de création :

« Oui ! Ainsi, dès que le fruit hors de la fleur paraît,

« Se forme-t-il comme une tête d'oiseau, les pétales arrangés en ailes ou robes, ou écharpes,

« Par quoi s'exprime le désir, le mouvement perforateur vers l'avenir, en plein ciel, de cette tête. »[1]

Mais ce n'est pas seulement à apparaître et à se reproduire que tend la Nature. Elle cherche aussi, dans toutes ses promesses d'avenir, à s'exprimer, à donner sa "leçon". Bref, pour Ponge un objet est aussi un projet. C'est ce que note R. Mauzi :

« L'être de chaque chose lui apparaît comme un projet, comme un effort vers l'expression, vers une certaine expression. »[2]

C'est bien cet effort que réalisent, apparemment en pure perte, les arbres ou les végétaux qui n'engendrent que des feuilles ou du vert[3]. Pourtant, quelle leçon, là encore, dans leur élan, et surtout dans la diversité et la perfection de leur expression ! Ils offrent même une œuvre ouverte à tout lecteur :

« Il semble que la matière organique, sous cette espèce, s'essaie à une sort de perfection analytique, s'exprimant de façon scripturale, par déploiement et division, notes, appendices, extension de son réseau, invasion, innervation, articulation et vascularisation de l'espace, broderie jusqu'à l'extrême bord du canevas, pour cacher autant que possible tout ciel, occuper entièrement toute page, prendre le monde dans son filet, l'embrasser ou ficeler tout entier en se développant (et tissant) à sa mesure. »[4]

Et dans cette appréciation du projet des choses, Ponge n'est pas le seul. Claudel lui aussi avait constaté la prodigieuse dynamique qui les anime, l'effort perpétuel dont l'homme ne perçoit à chaque fois qu'un aspect "sécant" :

> « Aucune chose n'a été créée une fois pour toute ; elle n'est point arrêtée ; elle continue à être produite, elle exprime un état de tension permanent de l'effort dont elle est l'acte. » (*Œuvre poétique*, p. 165.)

Et de cette expression, l'écrivain doit se faire le dépositaire. Sa tâche est rendue d'autant plus difficile qu'il y a beaucoup à constater. L'essentiel est l'échange, et si la pauvreté du langage est évidente en face de « la richesse de propositions contenues dans le moindre objet », on se doit d'essayer. L'exemple le plus net de ces propositions (de ces positions des choses qui se mettent en avant) est certainement celui du pré, la forme de l'herbe étant déjà un projet, c'est-à-dire essentiellement un *jet*, lequel s'efforce de paraître :

> « Jet de sève debout. » (*FP*, p. 219.)

Et comme ce projet n'est absolument pas égoïste, mais donné, c'est au tour de l'écrivain de rejoindre ce projet en s'y consacrant lui-même :

> « Notre nature (...) nous ayant prédisposé à un pré, nous le procure ; nous ayant préparé un pré, nous y prédispose. Nous ayant invité à un pré nous le propose. Louons-en-la. Nous le voulions de cœur et ilnous saute aux yeux. Nous le désirions et il nous saute au cou. Et pourtant il reste à distance.
>
> « La plus simple *reconnaissance* dès lors nous oblige à y inviter la parole, à le dire. »[5]

Dès lors le projet devient celui de l'écrivain. Et celui-ci se définit justement par le fait qu'il sera toujours un projet, que même l'œuvre accomplie n'est qu'un des possibles ; il existe en effet deux textes du téléphone, deux textes de l'araignée bien différents. Autrement dit, une création tend à quelque chose, elle est une approche ; c'est une ébauche, un simulacre qui va à la rencontre de la première impression :

« Il m'arrive, écrivant, d'avoir l'impression que chacune des expressions que je profère n'est qu'une tentative, une approximation, une ébauche. »[6]

C'est l'esthétique de la "taupe" où l'œuvre est faite de divers rejets, et forme alors bien plus une "galerie" essentiellement "ouverte", qu'un "édifice". C'est un aspect assez fréquent : on le trouve pour l'homme, donné seulement "à grands traits", en raison même de l'ampleur du sujet, et parce que Ponge veut rester "simpliste", même s'il n'a pas tout dit. Et même dans les textes dits achevés de *Pièces*, on trouve par deux fois le titre "ébauche" : "Ebauche d'un poisson", et "Première ébauche d'une main". Sans doute les peintres ont-ils bien plus pratiqué cette esthétique, et depuis Braque et Picasso, nous sommes habitués à découvrir à travers leurs toiles la génèse, l'ébauche première. C'est d'ailleurs à Braque que Ponge emprunte cette forme, et l'on peut dire que le titre de *L'Atelier contemporain* trouve là une de ses justifications, tant il est vrai que l'œuvre de Braque montre réflexion et recherche :

« Que dessine Braque ? Ses desseins. A la fois précis et imprécis encore. Ce ne sont que des desseins. Des notes seulement, mais soigneuses (non pas soignées). Des propositions sans délectation ni jactance, hasardées seulement, posément, et pouvant être au besoin retirées. Une suite de tentatives, d'erreurs tranquillement compensées, corrigées. Elles ont l'allure et le ton de l'étude et de la recherche, jamais de la conviction, jamais de la découverte... Mais la découverte est là, à chaque instant.

« Aussitôt, l'on retournera à la peinture, les dessins resteront sur l'établi. »[7]

Ainsi l'œuvre de Ponge rejoint pour la plus grande part un esthétique de type baroque, dans la mesure où elle présente une suite de morceaux inachevés, qui repartent de leur insuffisance et qui ne savent pas se contenter d'un prétendu acquis, puisque, à chaque fois, il laisse entrevoir la béance de son manque, un quelque-chose-encore-à-dire qui paraît aller toujours plus loin dans la beauté et le bien-dire. Et justement les ébauches, parce qu'elles sont la conscience de ce qui a été parcouru, mais aussi de ce qui reste à parcourir, sont d'une richesse particulière :

> « Ebauches seulement, peut-être, ou simples schémas parfois, mais à quel point réussis qu'ils sont bien plus proches de la perfection qu'aucune perfection de labeur et de patience. »[8]

Et de toute façon deux limites viennent apporter une présence plus ferme : tout d'abord les textes clos, ceux qui montrent la corde tendue au maximum, les textes en quelque sorte plus classiques que baroques, et d'autre part la présence même de l'objet sur lequel il suffit de reporter les yeux pour ne pas perdre la vérité à dire :

> « Me proposant un objet défini, excitant, durant en dehors de ma conscience, je puis bien souffrir de n'en recevoir, chaque fois que je m'y applique, qu'une idée incomplète, une brève lueur, puisque *lui* en effet, lui cependant, dure et persiste (à la différence d'un état d'âme, d'un sentiment, d'une passion), et que les idées incomplètes qui m'en viendront par la suite, se rapportant toujours à *lui*, seront de nouveau partiellement valables et qu'enfin la somme, l'addition de ces lueurs ou touches incomplètes pourra donner une approximation suffisamment volumineuse (solide) du dit objet, pourra enfin s'*y vérifier.* »[9]

Il est donc souvent vain de vouloir critiquer Ponge sur d'apparentes maladresses, puisque celles-ci sont non seulement souhaitées mais quasi indispensables dans une esthétique de l'imperfection, laquelle ne serait qu'un "dandysme"[10] propre à une poétique moderne. Ponge en voit d'ailleurs une présence particulière dans les sculptures de Giacometti, et rejoint tout à fait Mallarmé qui voulait "ajouter encore un peu d'obscurité"[11]. Tout en reconnaissant les dangers d'une complaisance dans cette attitude, qui fait « *oublier* quels sont les vrais caractères de la perfection », il voit l'avantage d'en user et même la nécessité :

> « Nous aimons *ajouter* de l'imperfection, des duvets superflus, des verrues, des manques, de la cendre. » (Id.)

On peut donc se demander d'où vient une telle exigence, si elle n'est pas le fruit d'une mode passagère. On constate en fait qu'à travers cette espèce de pourrissement volontaire, se crée un matériau plus malléable, parce que plus indépendant, plus apte à prendre un aspect et une position nouvelle. On retrouve ici la nécessité du Laid que Baudelaire prônait pour le Beau. Pour Ponge, il est un des moyens précieux pour "abolir" tout ce qui s'est un peu trop installé :

> « Divine nécessité de l'imperfection, divine présence de l'imparfait, du vice et de la mort dans les écrits, apportez-moi aussi votre secours. Que l'*impropriété* des termes permette une nouvelle induction de l'humain parmi les signes déjà trop détachés de lui et trop desséchés, trop prétentieux, trop plastronnants. Que toutes les abstractions soient intérieurement minées et comme fondues par cette secrète chaleur du vice, causée par le temps, par la mort, et par les défauts du génie. »[12]

En somme, toute création suppose une erreur (c'est-à-dire pour Ponge autant une errance qu'une erreur), parce que justement cette erreur appelle la création. Et cette vérité, Ponge l'applique au plus haut niveau, puisqu'il la fait porter sur la Création même :

> « Peut-être faut-il donner comme définition au monde : les erreurs de Dieu. Erreurs positives et non (seulement) défauts. » (*AC*, p. 343.)

Car c'est là une constatation importante qui raffermit l'intention artistique : le monde lui aussi comporte ses erreurs ; c'est pourquoi l'œuvre d'art peut connaître et reproduire les tares existantes. C'est ce qu'ont compris bien des artistes, et notamment Braque dont les images ne peuvent que montrer l'imperfection des créatures :

> « Elles participent de la lourdeur, de l'épaisseur, des maladresses, des faiblesses et de la précarité des créatures. »[14]

Cette tendance qui mêle le défaut à la création, et qui oblige donc à tenir son œuvre dans un état continuel de projet, permet de comprendre une des grandes caractéristiques de la poétique de Ponge. Les écrivains ont l'obligation et même le devoir de ne pas se contenter de leurs instruments, fussent-ils maniés au mieux. Dès lors, une œuvre sera double ; elle présentera toujours le morceau et sa fabrique. Et de ce fait, les publications récentes sont encore plus le témoignage ; de plus en plus Ponge accepte de montrer ses manuscrits, ses "livraisons"[15]. Car les écrivains sont "les véritables *fabricants* (et non simples contemplateurs)"[16] ; ils ne sont pas de simples rêveurs, mais comme l'avait bien compris Max Jacob des hommes de "laboratoire" :

> « Homme de laboratoire : laboratoire de l'expression. »[17]

Et déjà les titres de plusieurs œuvres laissaient clairement entendre les intentions de cet homo faber (et d'autant plus attaché à cette qualité de Faber que, comme Ponge aime le répéter, il descend d'une famille de fabricants, et même d'une souche Favre) : *Le Peintre à l'étude, La Fabrique du pré*, et même *Tome Premier*, où le numéral suggére les œuvres à venir, encore en fabrication, ce que confirmera le *Nouveau Recueil*. Quant au titre *L'Atelier contemporain*, ne confirme-t-il pas la leçon déjà donnée dans "Le Murmure" portant en sous titre : "(condition et destin de l'artiste)"[18], et définissant cet artiste comme un horloger, un réparateur du monde :

> « La fonction de l'artiste est ainsi fort claire : il doit ouvrir un atelier, et y prendre en réparation le monde, par fragments, comme il lui vient. Non pour autant qu'il se tienne pour un mage. Seulement un horloger. Réparateur attentif du homard ou du citron, de la cruche ou du compotier, tel est bien l'artiste moderne. »[19]

Ce que Ponge décrit et met donc en valeur, c'est "la table du travail", la "verbalisation en acte"[20], qui seule présente le travail essentiel. On peut désormais comprendre le choix d'un autre titre qui a pu surprendre : *Proêmes* et non Poèmes. S'il y a sans doute un mélange de prose et poème dans une espèce de crase, si également ce mot a une origine grecque "prooimon", qui, comme l'a montré R. Barthes, signifie ce qui vient de la poésie, le chant[21], nous pensons aussi qu'il faut donner toute sa forme au préfixe. C'est un pro-poème, ce qui remplace le poème, dont le refus a tant été proclamé par Ponge ; c'est aussi un poème lancé en avant, pour l'avenir, et non pas fixé dans son état d'œuvre réalisée. Ponge ne joue-t-il pas sur deux préfixes, à savoir pro- et pré-, pour définir ce qu'il faut bien appeler une proétique, mais que lui préfère appeler "projectiles"[22]. Et de la pro-duction, de la pro-position, ou du préfixe pré-, du pré-parés, pré-disposé, de la ré-génération ou de la ré-création, c'est une intention unique, celle d'une initiative, d'une initiation *en vue du* grand Mystère, du fonctionnement. *Pour un Malherbe*, non pas tellement pour défendre l'auteur classique ; bien plutôt pour qu'il représente un pro-phète *pour* l'avenir ; pour qu'il permette de présenter non pas un art poétique fixé à jamais, mais une proétique à jamais recommencée. Oui aux fleurs, promesses de fruits :

> « (Oui ! Bien sûr !) *Thèse, anthithèse, synthèse*... Mais pourquoi cela nous suffirait-il ? Pourquoi ne pas y ajouter, comme nous le fîmes naguère, *hypothèse* ? Puis, quelque autre jour, *hyperthèse* ? Et encore — ce fut notre pas d'aujourd'hui — *parenthèse*, la laissant ouverte à jamais... »[23]

Ainsi l'écriture pongienne devient une asymptote continuelle de la création, une récréation incessante puisque tournée vers le futur, qui n'a d'égale que la *Rage de l'expression* qui l'anime.

Une philosophie du futur

D'une telle esthétique se dégage évidemment une philosophie du Temps. La pensée du monde en devenir le rapproche sans doute d'Héraclite, pour qui le monde se caractérise par un changement perpétuel et une pluralité qui en résulte, pour qui aussi l'harmonie apparaît dans la résolution des contraires, une espèce de dialectique que récupère Hegel ; Hegel qui, selon l'étude de H. Maldiney, aurait plus d'un point commun avec Ponge. N'a-t-il pas vu le Temps comme "la Pensée présente d'un pur Devenir" ? Hegel ou même Heidegger dans sa pensée du projet, reprise par Sartre qui fait de l'homme sa propre réalisation, et dans son désir de libérer la Parole de son caractère usuel, pour la conduire à la Poésie vraie. Il y a bien toutes ces pensées dans les œuvres de Ponge, à condition de ne pas vouloir les plaquer à tout prix, comme Sartre qui voulait faire de Ponge un disciple existentialiste. Pour Ponge ce qui compte, c'est l'acte, la Parole en acte, donc la réalisation présente (qui, peut-être, associe à la façon de Parménide, la pensée et l'être...) par les vertus de l'objeu, d'une bombe, d'une fusée à mettre sur orbite, comme *Le Savon*, pour les siècles des siècles :

> « Par nos dieux immortels, chez Symmaque, ainsi soit-il. » (*CFPP*, p. 213.)

Ce qui compte, c'est de tendre vers, de tendre au maximum la corde, de préparer l'homme de demain :

> « Un pas de plus pour se perdre et on se trouve. Toujours vers l'avenir, toujours en avant dans la nuit. J.T. m'a dit hier que dans *Le Soleil*, je réconciliais Héraclite et Parménide. Bigre ! C'est un peu gros ! Attention au ridicule, lui ai-je répondu ! mais

> c'est bien un peu cela. Le *Temps* (*Le Temps* : je veux dire la ténacité, le travail) *débouchant* dans l'Intemporel. Une minute de plus à vivre, à peiner encore, et c'est l'éternité. La fusée dans la stratosphère, qui finit, à force de *relancer* son désir, par échapper à l'attraction, et entrer dans l'harmonie des sphères, dans l'horlogerie universelle. » (*PM*, p. 62.)

Car si Ponge s'intéresse tant aux objets, aux pro-jets, s'il s'efforce de nous présenter un nouveau monde et surtout un nouveau langage, c'est l'homme qu'il vise avant tout, parce que ce dernier n'est fait que de ses rapports avec le Monde et avec la Parole. Il faut redire le monde, "Le Soleil" et ce qui l'entoure pour créer et recréer l'homme futur :

> « Le soleil dissipe la nue,
> Récrée et puis pénètre enfin le cavalier. » [24]

Et Ponge ne s'enferme pas dans les philosophies actuelles, celles qui ne voient qu'un tragique du présent, un absurde et une angoisse de l'homme. Il fait son point de départ d'une telle constatation ; l'homme aussi n'est que projet :

> « Trouver l'homme en avant, l'homme que nous ne sommes pas encore, l'homme que nous allons devenir. »[25]

Car l'homme doit s'accomplir beaucoup moins en s'attachant aux idées dogmatiques ou aux sentiments qui nuisent à un véritable Etre, qu'à la force intérieure de sa volonté :

> « L'*Homme* est à venir. L'homme est l'avenir de l'homme.
>
> « *"Ecce homines"* (pourra-t-on dire plus tard...) ou plutôt non : *ecce* ne voudra jamais rien dire de juste, ne sera *jamais* le mot juste.
>
> « Non pas vois (ci) l'homme, mais veuille l'homme. »[26]

Et c'est bien de l'*Homme* qu'il s'agit ; c'est-à-dire non seulement de l'homme lui-même, mais aussi de l'œuvre sur l'homme qui ne peut rester que projet, qui ne peut donner que des "Notes premières" ou un profil dans "L'Homme à grands traits". Et de fait l'œuvre entière de Ponge s'inscrit comme un projet sur cet *Homme*, projet dont l'auteur nous a fourni lui-même le canevas, en laissant bien entendre combien l'humanisme rejoint une fois de plus l'art (*PM*, p. 306.)

De fait il revient aux artistes de faire progresser l'homme, non pas à la façon des philosophes, ou même par quelque figuration, mais bien plutôt par une préfiguration permettant à l'homme de trouver les bases de son essor futur ; et cette tâche nouvelle l'emporte bien sur les précédentes :

> « L'avenir de la nature, l'avenir de l'homme. Cela ne vous intéresse pas davantage ? Plus que n'importe quelle représentation (ressemblante), théorie ou explication ? »[27]

Et pour y parvenir, il ne faut pas hésiter à dépasser ce que l'histoire des civilisations a bâti, à faire "table rase", la table seule comptant pour la tâche à accomplir ; il faut, étant pourtant bien entendu qu'on porte sa propre marque du passé, abolir autant les dogmatismes que la rhétorique établis depuis vingt siècles sur des idées, des postulats (celui d'Euclide notamment) des croyances ou des systèmes ; il faut retrouver la vraie pureté, bref, être "de nouveau jetés nus, comme l'homme primitif, devant la nature"[28]. Dans ce dénuement pourtant, on n'a rien à craindre, car les objets sont là, toujours disponibles, fixes dans leur réalité concrète :

> « Car enfin nous voilà aux prises avec les casseroles, les brocs, les caisses de bois blanc, un outil, un caillou, une herbe, un poisson mort, un morceau de charbon. Voila des objets à qui nous demandons, car d'eux *nous savons l'obtenir*, qu'ils nous tirent hors de notre nuit, hors du vieil homme (et d'un

> soit-disant humanisme). pour nous révéler l'Homme, l'Ordre à venir. »[29]

Et en plus il y a l'élan, celui de "La Cheminée d'usine", celui qui apporte la seule vraie transcendance, non pas celle de la croyance, mais pour rejoindre un peu le projet sartrien, celle de la croissance personnelle :

> « Voici pourquoi nous préférons — et de loin ! — croître à croire : à cause de cette lettre de plus, le T, qui exprime la poussée à la cîme, la poussée du tronc vers le haut, vers l'avenir. Nous n'aimons croire que dans la mesure où cela nous aide à croître ; nous détesterions croire dans la mesure où ce ne serait que croître amputé de son T, et dès lors tonsuré, ou châtré, ou reclus dans l'inaction physique, dans l'euphorie trompeuse de la satisfaction et du repos. » (*PM*, p. 198.)

Cette philosophie du futur n'est en effet pas du tout indépendante de ce qui relève de l'acte ou de l'action. Et J.-P. Richard n'a pas tort de critiquer Sartre qui voyait en Ponge une "immobilité pierreuse"[30]. Ponge, nous l'avons dit, préfère le Proême au Poème, la Proétique à la Poétique, la Parole à la Poésie. C'est que dans la parole, on voit "l'opération exacte"[31], la véritable gestation, la fabrique en perpétuelle effervescence. Et même Ponge avait songé à un autre titre pour son œuvre, à savoir *Pratiques*[32] repris dans *Pratiques d'écriture*, titre révélateur sur l'aspect actif de sa création, ce que souligne d'ailleurs une nouvelle fois la présence de la pluralité. Car à la poésie traditionnelle, celle que représente par exemple les *Charmes* de Valéry, il en préfère une plus "convaincante", plus apte à montrer le fonctionnement :

> « Acte ou Textes. » (*PM*, p. 204.)

Et peu importe qu'elle soit poésie ou non puisque ce n'est pas le but. A un autre niveau, l'auteur oppose aussi bien la Raison en Acte à la Raison pure, Malherbe à Descartes ; il rejette le "cogito" qui célèbre les pouvoirs de la Pensée, et donne sa préférence à l'Action, qui plus encore est une preuve de l'existence, la véritable existence :

> « Au "Je pense, donc je suis", à la réflexion de l'être sur l'être et au prône de la raison, nous préférons la Raison en Acte, le "Je parle et tu m'entends, donc nous sommes" : Le Faire ce que l'on Dit» (Id.)

Mais un acte qui soit toujours pensée sur lui-même, qui ne pose rien, qui n'établit pas, qui trouve sa raison dans le moment qui le détermine :

> « Pensée ne vaut qu'en même temps qu'action. Et vice-versa. Point de paliers. On n'a jamais rien gravi, rien dépassé. Point d'illusion capitaliste. Il n'y a rien de plus dans la conclusion qui n'ait déjà été dans les prémisses : s'il y a quelque chose de plus, c'est de la fatigue. » (*NR*, p. 32.)

Au-delà donc d'une recherche purement esthétique, se distingue un activisme fondamental. Il n'est pas difficile d'y voir la marque de son épicurisme ; un *De natura rerum* donc qui présente un monde en continuelle action, en préparation ; c'est en tout cas ce que nous offre la terre :

> « Voici notre aliment ; où se préparent nos aliments. Nous campons là-dessus comme sur les silos de l'histoire, dont chaque motte contient un germe et en racines l'avenir. »[33]

Et bien sûr, il n'y a pas de raison que l'homme ne soit atteint de ce même principe ; pour Ponge en tout cas c'est un caractère propre à sa nature. Il doit reconnaître l'"activisme" qui est en lui[34]. Comment dans ces conditions ne s'établirait-il pas un échange, puisque la matière universelle et celui qui doit en rendre compte sont animés du même principe ?

> « Comprend-on comme cela définit bien en quelque façon le sens de mon œuvre ? Qui est d'ôter à la matière son caractère inerte ; de lui reconnaî-

> tre sa qualité de vie particulière, son activité, son côté affirmatif, sa volonté d'être. »[35]

Par conséquent, s'il existe une morale chez Ponge, une "leçon", elle est tout entière dans l'action du projet, elle est le devenir qui s'accomplit :

> « Le devoir, le devenir, c'est la même chose. »[36]

On peut rapprocher cette attitude de celle de nombreux surréalistes, pour qui l'activisme poétique ne pouvait se séparer d'un activisme militant. Pour René Char par exemple, si la poésie précède l'action, elle finit par la rejoindre, et c'est leur accord qui forme la promesse d'avenir. Pour d'autres, c'est ce qui justifie la lutte, ce qui fait qu'une poésie ne saurait se séparer d'un militantisme. Ponge, quant à lui, voit dans l'activisme de la création poétique, le creuset de toute transformation politique et morale. A la suite de Lautréamont, il faut en finir avec une poésie de "grandes têtes molles", celle qui publie son "mouchoir", pour trouver la force qu'elle mérite :

> « Il s'agit du rôle positif de la poésie, que je viens de définir comme une *activité* qui donne les *lois* de la politique, de la morale. » (*EPS*, p. 28.)

Artaud lui aussi dénonçait le théâtre psychologique, et exigeait une révolte fondamentale, dont l'action "cruelle" passait par le geste et devait ébranler profondément le spectateur ; et sans doute il rejoint Ponge dans son désir d'un retour à l'homme primitif, mais il arrive à un transport et une folie qui conduisent au "suicide" personnel. Ponge, plus proche d'une raison qui procède au coup par coup, cherche un pouvoir plus calme en apparence, mais à ses yeux aussi efficace, dans les improvisations de ses "tentatives orales", dans ces actions directes qui mettent, elles aussi l'être complet en jeu[37]. Il y a tout aussi bien "l'exemple d'une opération en acte, d'une parole (et donc d'une pensée) à l'état naissant". (Id.)

Ainsi, dans cette conception du projet de Ponge, s'affirme une gageure sur l'avenir ; l'imperfection actuelle, qu'elle soit sociale, morale, intellectuelle ou artistique, possède en elle les germes d'un renouveau. Ponge peut alors s'affirmer comme "établi dans le *perpétuel*"[38], c'est-à-dire que dans sa continuelle remise en question, il mise sur l'œuvre en état de marche, et perpétuellement réparée. Car la réaction s'étant produite dans le complexe chose-mot, on ne peut aboutir qu'à une bienfaisante récréation.

NOTES :

1. "L'Opinion changée quant aux fleurs" L'Ephémère V, *p. 20-21.*

2. R. Mauzi : "Le Monde et les choses dans la poésie contemporaine depuis le surréalisme" in Bulletin de la société des professeurs de français en Amérique, *1967, p. 34.*

3. "Le Cycle des saisons" in PPC, *p. 48 (*TP, *p. 53) et "Tentative orale" in* GRM, *p. 250 (*M, *p. 256-257).*

4. "L'Opinion changée quant aux fleurs" L'Ephémère V, p. 25.

5. FP, *p. 250.*

6. "Réponse à une enquête" in GRM, *p. 222 (*M, *p. 229).*

7. "Braque-dessins" in GRL, *p. 87 (*AC, *p. 108).*

8. "Texte sur Picasso", AC, *p. 341. Cf. le sous-titre "L'Inachèvement perpétuel" in* Pratiques d'écriture.

9. Nioque de l'Avant-Printemps, *p. 37-38.*

10. "Joca seria" in NR, *p. 87 (*AC, *p. 182).*

11. Ibidem.

12. "Promenades dans nos serres", Proêmes *in* TP, *p. 146 (*PPC, *p. 127-128).*

13. "Texte sur Picasso" in AC, *p. 343.*

14. "Braque lithographe" in NR, *p. 188 (*AC, *p. 245).*

15. CFPP, *p. 5.*

16. S, *p. 125.*

17. Nioque de l'Avant-Printemps, *p. 62.*

18. GRM, p. 184 (M, *p. 191).*

19. GRM, p. 193 (M, *p. 200).*

20. On connaît bien mieux cette table ; cf. Etudes françaises *17/1-2 p. 9-49 où se trouvent les feuillets du textes "La Table" ; cf. aussi le "Chère table, adieu !" dans "Tentative orale" où Ponge embrassa la table de conférence,* GRM, *p. 262 (*M, *p. 268).*

21. R. Barthes : "L'Ancienne Rhétorique" in Communications, *n° 16, cité par J.-M. Gleize et B. Veck dans leur* Francis Ponge, *p. 61-62.*

22. FP, *p. 20.*

23. L'Ephémère *V, p. 22.*

24. "Le Soleil" in GRM, *p. 158 (*P, *p. 140).*

25. "Tentative orale" in GRM, *p. 260 (*M, *p. 266).*

26. Proêmes *in* TP, *p. 248 (*PPC, *p. 218).*

27. TP, *p. 515 (*AC, *p. 73).*
28. "Braque" in TP, *p. 516 (*AC, *p. 75).*
29. TP, *p. 517-518 (*AC, p. 76).
30. J.-P. Richard : Onze études sur la poésie moderne, p. 168.
31. EPS, *p. 99.*
32. PM, *p. 198. Titre repris dans* Pratiques d'écriture.
33. "La Terre" in GRP, *p. 103, (*P, *p. 92).*
34. "Le Verre d'eau" in GRP, *p. 154, (*M, *p. 159).*
35. Idem in GRM, *p. 158 (*M, *p. 163).*
36. Colloque de Cerisy, p. 419.
37. Cf. EPS, *p. 98.*
38. PM, *p. 198.*

3. La récréation

Assez paradoxalement après ce qui vient d'être dit de l'action, la notion de récréation rejoint celle de la création au "trône de la paresse". Si Ponge a l'habitude d'écrire les pieds sur la fameuse table, la récréation est aussi présente dans la position couchée, lorsque l'auteur est sur le "lit", pour un sommeil réparateur .

> « Le pouvoir du sommeil : récupération, — la distraction, la *récréation* ».[1]

Car c'est bien là les deux grands pouvoirs de cette récréation : la régénération, et venant d'elle la joie.

La régénération et la leçon de choses

La régénération est une loi du monde, et Ponge s'y est particulièrement intéressé, parce qu'elle concerne le phénomène de la création, de toute création, celle du Cosmos autant que celle d'un artisan ou d'un artiste. Elle mérite une observation attentive en raison du mystère, et de la leçon qu'elle ne cesse de nous donner. Pour Ponge, elle comporte essentiellement trois aspects fondamentaux, qui varient d'ailleurs selon les différents règnes : la transformation, la transmission de la vie, l'alimentation.

La transformation concerne essentiellement l'évolutionnisme et nous renvoie évidemment à l'activité inhérente au monde et donc à Epicure. Mais Ponge établit bien une différence entre les trois règnes. Les règnes végétal et animal sont ceux où se remarque le mieux l'évolution, avec une différence cependant : le végétal a une sphère d'action plus réduite, l'animal possédant un atout supplémentaire qui est le mouvement, sans compter l'exceptionnel pouvoir de son expression. Mais le végétal n'en est pas moins grand, bien au contraire ; sa leçon n'en est que plus grande :

> « L'on dit que les infirmes, les amputés voient leurs facultés se développer prodigieusement : ainsi des végétaux : leur immobilité fait leur perfection, leur fouillé, leurs belles décorations, leurs riches fruits ».[2]

A force de se contenir, leur action conduit donc à une perfection intérieure ; de quoi faire méditer le sage.

Apparemment le plus défavorisé est le minéral. Ne devant guère compter sur la régénération annuelle et condamné à une complète fixité, il apparaît comme une certaine image de mort. Ponge cependant montre ses qualités dans "Le Galet". Celui-ci est en effet le résultat d'une longue transformation qui remonte au déluge. Mais la pierre a l'étrange pouvoir de présenter dans l'espace l'histoire de l'évolution des temps :

> « Ici point de générations, point de races disparues. Les Temples, les Demi-Dieux, les Merveilles, les Mammouths, les Héros, les Aïeux voisinent chaque jour avec leur petit-fils. Chaque homme peut toucher en chair et en os tous les possibles de ce monde dans son jardin. Point de conception : tout existe ; ou plutôt, comme au paradis, toute la conception existe ».[3]

Et de plus, de génération en génération, le galet n'a pu que s'affiner, se polir, pour présenter à nos yeux, et surtout à notre toucher, la douceur de son contact ; de quoi faire méditer, dans cette fabrication et son issue, l'artiste même. Et d'ailleurs le galet ne meurt pas ; devenu sable et se mariant au mieux avec cette eau qui l'a façonné, il devient ce limon précieux, et possible pour une prochaine régénération. Le galet est donc l'image même d'un des paradoxes de la création ; il représente à la fois l'évolution et la permanence. Voilà ce qui en lui fascine Ponge.

Mais cette ambiguïté de la création se retrouve aussi chez les animaux, où malgré leur régénération, on voit la "permanence du type"[4]. A cette différence près que l'adaptation à un milieu provoque quelques changements et peut créer de nouvelles espèces ; et c'est l'origine du phacochère ou de la girafe[5]. Et l'homme, quant à lui, est bien dans une situation identique. En effet, s'il est caractérisé par un changement plus ou moins marqué entre les personnes, il continue du moins à garder son type. Mais il a toujours la possibilité d'une évolution personnelle ; il se doit même de savoir renaître.

C'est donc que l'idée de régénération suppose souvent, et plus particulièrement pour l'homme, celle d'une remise en état. C'est ce que Ponge appelle, à propos du pré, la "recomplexion nocturne"[6]. L'homme a donc besoin de se refaire, voire de se recomposer. Et si l'on considère l'homme social, il s'agit de son renouveau. Mais sur ce point, Ponge se refuse à aller chercher dans une transcendance religieuse une solution idéale. L'homme doit trouver en lui-même son principe d'existence :

> « Suscitation ou surrection ? Résurrection. Insurrection. Il faut que l'homme, tout comme d'abord le poète, trouve sa loi, sa clef, son dieu en lui-même ».[7]

Et de cette insurrection, c'est le poète, l'artiste qui doit être l'instigateur. Il est, nous l'avons vu, le réparateur du monde, celui dont la tâche se définit essentiellement par une recomposition des données, qui lui permettront aussi de régénérer l'homme :

> « Le poète (est un moraliste qui) dissocie les *qualités* de l'objet, puis les recompose, comme le peintre dissocie les couleurs, la lumière et les recompose dans sa toile ».[8]

De fait, c'est bien la tâche que se sont assignée les peintres modernes, dont les toiles sont un nouvel arrangement du monde. Braque en est un modèle, et avec Picasso, ils sont les "drapeaux", le "porte-drapeau de l'offensive intellectuelle"[9], Picasso dont le cubisme est l'expression de la recomposition :

> « Tout est changé. Non détruit. Arrangé autrement ».[10]

Quant à l'écrivain, nous savons qu'il doit rénover le langage, le purifier, il doit refaire les choses dans sa perception et bien entendu dans son verbe :

> « Il faut en même temps qu'il les refasse dans le logos à partir des matériaux du logos, c'est-à-dire de la parole ».[11]

C'est donc à une œuvre de récréation, une façon de repétrir des ingrédients multiples aux goûts différents et malmenés par les âges, d'une valeur qui dépend sans doute de ce "repétrissage" :

> « Mais comment y parviens-je, si j'y parviens ? En repétrissant avec les connaissances anciennes les acceptions morales et symboliques, et toutes les associations d'idées, la plupart du temps très variées et contradictoires ».[12]

Mais cette récréation est surtout une "œuvre de salut public", dans la mesure où l'homme est soumis à des contingences insupportables qui vont de la violence à l'absurde ; l'artiste ne peut les ignorer ; il doit, à l'instar de Fautrier, y trouver sa future leçon :

> « A l'idée intolérable de la torture de l'homme par l'homme même, du corps et du visage humain défigurés par le fait de l'homme même, il fallait opposer quelque chose. Il fallait en constatant l'horreur, la stigmatiser, l'éterniser.
>
> « Il fallait la refaire en reproche, en exécration, il fallait la transformer en beauté ».[13]

Mais cette régénération passe également par la transmission de la vie, par la perpétuation de l'espèce. En dehors du minéral, dont nous avons vu le sort, la Nature opère magnifiquement cette tâche. Pour Ponge, elle y met même tout son cœur, elle s'y applique à tout instant. Car il y a un soin tout particulier des choses à assurer leur postérité, principalement de tout ce qui fait le végétal, fleurs, arbres, herbe ; Ponge en tout cas aime à leur sujet évoquer la reproduction. Il est par exemple très sensible à la véritable exaltation, et pas seulement exhalaison, qu'offrent les mimosas à transmettre leur graine régénératrice :

> « Voici ce que nous aimons surtout dans les fleurs : paradoxalement, leur durée. Le sentiment qu'elles donnent d'un pouvoir dans le temps, disséminé dans l'espace. Leur côté bombes de graines. Le mouvement vers l'avenir que cela comporte, et suscite en l'esprit. Leur côté bombes qui vont éclater, la connaissance de leur pouvoir, de leur charge de semences. Cela, à la fois glorieux et touchant, faible, désarmant. Leur côté bulles éphémères, feux d'artifice de la générosité spécifique ou familiale, lâchers de possibles, promesses de générations... ».[14]

Car l'impératif vital pour tout végétal, c'est que rien ne se perde ; et il sait qu'il peut compter sur la Mère Nature. C'est ce qu'a compris, dans sa tranquillité méridionale, l'éternel platane :

> « Pour ces pompons aussi, ô de très vieille race, que tu prépares à bout de branches pour le rapt du vent.
> « Tels qu'ils peuvent tomber sur la route poudreuse ou les tuiles d'une maison... Tranquille à ton devoir tu ne t'en émeus point :
> « Tu ne peux les guider mais en émets assez pour qu'un seul succédant vaille au fier Languedoc
> « A perpétuité l'ombrage du platane ».[15]

Et Ponge n'hésite pas, pour célébrer ce qu'il considère comme une cérémonie secrète, à employer un vocabulaire religieux, auquel il redonne la vie de son sens original. Ainsi le pré ne fait que produire, faire ressurgir l'herbe ; c'est sa résurrection qu'il ne doit qu'à lui-même :

> « Le lieu aussi de la résurrection de la vie universelle sous sa forme la plus élémentaire, le lieu de la renaissance de l'avenir, lieu préparé pour cela. Donc préfixe à tout, préfixe à tous les verbes, à toutes les actions, à toutes les propices résurrections. A la fois participe passé (paratus, paratum) et préfixe des préfixes, préfixe universel. Il fleurit. Il florit ».[16]

Et persuadé que les choses ne doivent leur salut qu'à elles-mêmes, il montre, toujours avec le même vocabulaire, combien les divers éléments participent et contribuent à cette résurrection ; d'où une nouvelle définition du pré :

> « Vaste et paisible réincarnation de la pluie ».[17]

Les objets évidemment ne peuvent avoir de si grands pouvoirs. Qu'importe ! Ils seront là dans leur permanence, souvent un chaînon indispensable à la transmission ou à la régénération. C'est le travail merveilleux de la lessiveuse, et même l'utilité de la radio, dont nous n'avions dit que l'aspect négatif :

> « Tout le flot de purin de la mélodie mondiale.
> « Eh bien, voilà qui est parfait, après tout ! Le fumier, il faut le sortir et le répandre au soleil : une telle inondation parfois fertilise... ».[18]

L'œuvre artistique prend modèle sur la nature ; elle entre dans la grande tâche universelle qui est de transmettre la vie à l'homme nouveau :

> « Et voilà bien après tout ce qu'on leur demande (aux œuvres comme au monde) : la vie ».[19]

Comme les fleurs dont elle tire la leçon, elle n'est qu'une semence pour l'avenir, un prologue à l'existence, un proême. Mais pour qu'elle puisse être profitable, l'artiste doit remplir sa fonction suprême : fort d'une vraie connaissance, fort de son pouvoir de réactiver le langage, il doit redonner le fonctionnement aux mécanismes internes du Monde, gage de la véritable récréation humaine :

> « L'artiste résume la science, l'abolit, fait ressurgir la vie, exprime le monde total.
> « Réjouit, récrée l'homme ».[20]

Dès lors, parvenu à remettre « le langage à l'état naissant »[21], il ne peut qu'offrir le fruit de ses efforts à ce qui n'a jusque-là connu que les ténèbres, les objets condamnés au silence. Le poète apporte donc un jour nouveau :

> « Une parole est née dans le Monde Muet ».[22]

Et l'œuvre se définit comme l'aliment des générations à venir. Or c'est justement le troisième élément de cette régénération. Après avoir fait renaître, elle nourrit. Et certes la Nature nous offre cette fois plus de peine ; car la sélection apparaît plus farouche que pour la transmission de la vie, où quelques graines suffisaient pour la perpétuation de la race ; l'aliment, quant à lui, est distribué inégalement, condamnant définitivement certains êtres "à leurs formes" ; mais c'est la loi :

> « (...) Une propension fâcheuse de la Nature à assurer la subsistance de ses créatures aux dépens les unes des autres ».[23]

Et certes, l'animal en souffre, mais il s'efforce de s'adapter, à l'image de la chèvre, pourtant exigeante et capricieuse, qui trouve son bonheur dans la pâture de quelques buissons, pour donner un lait qui oblige à une vraie considération :

> « Tout ce lait qui s'obtient des pierres les plus dures par le moyen brouté de quelques rares herbes, ou pampres, d'essence aromatique.
> « Broutilles que tout cela, vous l'avez dit, nous dira-t-on. Certes ; mais à la vérité fort tenaces ».[24]

Mais, une fois de plus, la prodigieuse transformation qui a fait d'éléments disparates et sans valeur apparente, si ce n'est l'arôme, une nourriture céleste et vivifiante, nous renvoie au travail de l'écrivain, qui de sa matière désséchée et inorganique, doit pourtant extraire la "laitance — breuvage et semence à la fois"[25] pour en faire le nectar de la vraie régénération :

> « Nourrissant, balsamique, encore tiède, ah ! sans doute, ce lait, nous sied-il de le boire, mais de nous en flatter nullement. Non plus finalement que le suc de nos paroles, il ne nous était tant destiné, que peut-être — à travers le chevreau et la chèvre — à quelque obscure *régénération* ».[26]

Cette conception de la renaissance, de la régénération suppose nécessairement un point de vue sur la mort. F. Ponge ne s'attarde pas sur son drame ; il la juge même comme un moment indispensable au futur renouveau. Emule de Lucrèce, il voit dans la Nature le principe d'un éternel retour cher aux anciens matérialistes. Il n'est point de renaissance possible sans la disparition d'autres êtres. Il est besoin d'un pourrissement, d'une fermentation, d'un retour à la terre, pour espérer voir revenir un germe de vie. Et l'automne présente le plus bel exemple de la macération nécessaire à la future éclosion :

> « Tout l'automne à la fin n'est plus qu'une tisane froide. Les feuilles mortes de toutes essences macèrent dans la pluie. Pas de fermentation, de création d'alcool : il faut attendre jusqu'au printemps l'effet d'une application de compresses sur une jambe de bois ».[27]

Quant au pré, il lui a fallu un vaste dépôt organique, avant que l'eau bienfaitrice puisse y produire la résurrection et l'offre de l'herbe :

> « L'eau tend à s'évaporer ; elle, qui réimprègne le cendrier universel, veut mourir à son tour sous l'effet de la chaleur qui remonte, elle renonce, elle

s'évapore mais alors elle entraîne avec elle vers le ciel ces restes organiques, elle ressuscite le cendrier universel : l'herbe et la vie alors ressurgissent et voici *le pré* ».[28]

Et apparaît alors un nouveau paradoxe de la Nature : il y a en elle deux phénomènes opposés, qui se déterminent chronologiquement et rationnellement, chacun étant responsable de l'autre indéfiniment : la décomposition et la renaissance. La Nature est donc le lieu de la mort tout autant que celui de la vie :

> « La *Nature* (le monde extérieur) est *chaos-matière épaisse.* Chaos de passé et avenir : de cimetière et germes, de cadavres en décomposition et vers (gainés d'énergie).
> « La Nature est : *Chaos-nourricier.*
> « Oui, il faut y plonger (c'est à quoi, sans qu'il le veuille, chaque individu, chaque personne est fatalement conduit (par la vie et la mort). Mourir et renaître. (Que le monde renaisse, la moindre chose) ».[29]

Ponge rejoint donc les philosophies antiques pour l'explication de la Phusis du Monde : Epicure mais aussi bien Héraclite. Il y a bien en elle une sorte d'enfer, de feu dévorant, détruisant et purifiant les choses pour les faire revivre :

> « Qu'une flamme y soit nécessaire, nul doute. Pourquoi ? Pour attirer le regard ? Pour attirer quelqu'un ? — Mais, aussi bien, pour vous-même. Pour brûler quelques déchets qui encombreraient vos tuyaux de vie. Pour nettoyer, faire place nette, aspirer, réamorcer la vie ».[30]

Et le seul feu qui doive animer l'artiste est finalement ce feu dévorant. C'est à cette purification générale qu'il faut parvenir, pour retrouver la grandeur de la création première. Purification de sa connaissance, de son langage. On doit se plonger dans les ténèbres originelles pour y projeter sa lumière, mettre fin à l'Obscurantisme :

> « Une *nécessité* encore (au bout de la nuit) fait que le jour se fait. Il ne faut cesser de s'enfoncer dans sa nuit : c'est alors que brusquement la lumière se fait ».[31]

On retrouve ainsi la grande dualité prônée par les philosophes : Eros et Thanatos. M. Spada, en rapprochant Ponge et Bataille pour en souligner la différence, veut aller plus loin que cette traditionnelle antinomie, en pensant que pour Ponge, elle est réglée différemment :

> « Destruction est remplacée par Succession, le couple Eros-Thanatos par le couple Eros-Antéros ».[32]

Ponge s'en est expliqué, qui considère que tout acte reproducteur qui vise donc essentiellement la vie, passe par les "dépenses" de l'orgasme, lesquels sont des "pas vers la mort"[33]. On ne sort donc pas d'un sophisme disant : "La mort est nécessaire pour donner une naissance qui se termine par la mort". Mais en fait, ce qui compte, c'est de voir ce qu'il en est dans l'œuvre littéraire. L'écriture, pour Ponge, est bien une suite d'orgasmes qui conduisent à la naissance du texte :

> « Une succession de petites convulsions (voire jubilations) de détail, chacune précédée et suivie d'une constriction un peu douloureuse ».[34]

Et l'existence du texte s'affirme alors dans son individualité acquise. Sa vie remplace ceux qui l'ont créé, mais en atteste la pré-existence, le pré-texte :

> « Il y a mort à la fois de l'auteur et mort de l'objet du désir, mettons de la chose, du pré-texte, du référent, pour que puisse naître le texte ».[35]

Désormais, la naissance étant accomplie, on peut arriver au fonctionnement. C'est à quoi tendent à la fois le monde, les mots et l'œuvre artistique. C'est donc la synthèse de toute la recherche pongienne. Ce fonctionnement, ce mouvement de type épicurien existe dans la Nature, et il n'est aucune règne qui puisse y échapper :

> « Tout fonctionne. La terre, le système, il faut se mettre dans cette idée, tout fonctionne, tout marche, ça passe, ça tourne, et non seulement les herbes poussent, très lentement mais très sûrement, les pierres attendent d'éclater ou de devenir du sable ».[36]

Et l'homme n'est qu'une partie comme une autre de ce monde, ni plus ni moins qu'un élément, un simple "rouage" de cette "grandiose et subtile horlogerie"[37]. Or dans l'esprit de l'homme obscurci par de vaines idéalisations, ce fonctionnement est mauvais. Et si Ponge reprend l'image voltairienne de l'horloger, il n'en attribue pas les pouvoirs à Dieu ; c'est l'artiste qui en a la charge, pour qu'ensuite ce soit l'homme qui devienne son propre réparateur. Or tout passe par une mauvaise utilisation des mots, dont on a perdu le sens actif, pour n'en faire qu'un sens signifiant. Le remède est dans le mal :

> « Il s'agit seulement de faire qu'ils ne signifient plus tellement qu'ils ne FONCTIONNENT ».[38]

L'auteur doit alors arriver à ce qu'on pourrait appeler une "auto-biotique", une vie indépendante, une "biotique" au sens où l'entendait Marc Aurèle, c'est-à-dire une vie pratique ; cette autobiotique est donc administrée à l'Univers, pour qu'il vive de son propre fonctionnement :

> « Nous retrouvons encore là l'idée de la mise en orbite, de l'éternisation, si vous voulez, des éléments par le fait qu'ils sont rapportés d'une certaine façon et qu'ils sont agencés, ajustés et qu'alors, ils se mettent à fonctionner *tout seuls*, le mécanicien lui-même, le fabricant ayant disparu, et que tout cela fonctionne sans que la personne qui les a arrangés, ajustés, soit encore nécessaire ; enfin que l'auteur peut mourir, à ce moment-là ».[39]

Car l'écrivain est l'auteur de la récréation, non son manipulateur ; et Ponge, qui a toujours souhaité le respect des choses, doit se retirer. C'est la fameuse "sortie de l'auteur". Elle est généralement pratiquée dans la chute du texte, et Ponge y parvient grâce à son humour. Grâce à lui, il disparaît ou, plus souvent, il s'incorpore à la matière en jeu, objet texte et auteur ne faisant plus qu'un ; ainsi du galet :

> « Ayant entrepris d'écrire une description de la pierre, il s'empêtra ».[40]

Fréquemment aussi, on voît apparaître sa signature, mais toujours avec une allusion à la mort. Dans "Le Pré"[41], il couche son nom "dessous", dans la terre du pré, et ses initiales vont rejoindre celles "du Fenouil et de la Prêle" ; dans "La Figue"[42], il signe en capitales romaines, pour rappeler les capitales inscrites sur les stèles funéraires. Mais c'est certainement dans "Le Volet" que cette rencontre est la plus significative. En effet, par le biais d'une scolie, l'auteur couché sur son "lit" devient couché sur son "livre", auteur mort, tandis que le volet naît, mais seulement pour montrer, dans son écrit propre, le jour nécessaire à la disparition des ténèbres :

> « VOLET PLEIN NE SE PEUT ÉCRIRE
> VOLET PLEIN NAÎT ÉCRIT STRIÉ
> SUR LE LIT DE SON AUTEUR MORT
> OÙ CHACUN VEILLANT À LE LIRE
> ENTRE SES LIGNES VOIT LE JOUR
> (Signé à l'intérieur) ».

et la scholie qui voit paraître l'enfant nécessaire :

> « VOLET PLEIN NE SE PEUT ÉCRIRE
> VOLET PLEIN NAÎT ÉCRIT STRIÉ
> SUR LE LIVRE DE L'AUTEUR MORT
> OÙ L'ENFANT QUI VEILLE À LE LIRE
> ENTRE SES LIGNES VOIT LE JOUR ».[43]

"OUI"[44], il fonctionne ce volet : « Ça bat, ou plutôt stabat un volet »[45].

L'objoie

En fait, la récréation recherchée par Ponge est plus qu'une simple régénération ; elle est un bonheur, une jouissance, et venant de l'objet, ce que Ponge appelle une "objoie".

Pour comprendre cette notion, il faut, avec Ponge, partir d'une constatation : le monde est enfermé dans un déterminisme important, qui fait que sa compréhension même semble passer par la découverte des principes qui l'animent. Les sciences modernes, notamment les sciences exactes, obéissent à cette loi, et l'arrivée du structuralisme n'a fait qu'accréditer l'idée de systèmes préétablis, de conventions. Ponge, nous l'avons vu, refuse ce caractère trop figé, qui oublie toute la dynamique possible dans toute création et récréation. Mais il existe aussi un autre bonheur possible. Une joie qui peut naître dans la connaissance de soi, dans l'appréciation de ses limites, et surtout dans l'acceptation et la proclamation du carcan qui définit son être :

> « Ce qui me paraît vraiment merveilleux, si vous voulez miraculeux, en quelque façon, c'est le fait même que n'importe quelle structure puisse se concevoir comme telle, s'accepter et s'avouer et se donner, se déclarer hautement pour ce qu'elle est, c'est-à-dire (avec à la fois orgueil et humilité) comme conventionnelle par elle-même ; eh bien ! si elle peut trouver le signe de cela, à ce moment-là, il y aura une espèce de transmutation, alors vraiment heureuse, jubilante : c'est ce que j'appelle *l'objoie* ».[46]

Le principe verbal de cette objoie ne peut être que la tautologie, puisque c'est justement dans cette opération qu'on se dit, c'est-à-dire que l'on est, en même temps, l'objet du dire et aussi le sujet parlant, qu'on ne renvoie sans cesse qu'à soi. Et comme on est aussi le maître, se crée une dialectique à l'envi, où tous les mécanismes jouent, où l'objet jubile :

> « Il y a une sorte de morale qui consiste à déclarer qu'il faut qu'un orgasme se produise et que cet orgasme ne se produit que par l'espèce d'aveu et de proclamation que je ne suis que ce que je suis, qu'il y a une sorte de tautologie ».[47]

Et ces jubilations verbales créent des morceaux d'un nouveau style : "L'Eugénie" comme "Le Cheval", les "Momons", les "Sapates"[48]. Et tout se passe encore dans un orgasme. Car le résultat doit exister ; c'est la floculation :

> « Le moment heureux, et par conséquent le moment de la vérité, c'est lorsque la vérité *jouit* (pardonnez-moi). C'est le moment où l'objet jubile, si je puis dire, sort de lui-même ses qualités ; le moment où se produit une espèce de floculation : la parole, le bonheur d'expression ».[49]

Tel est essentiellement le message du *Savon* dont la mousse exubérante est l'image d'une satisfaction interne, mais qui connaît les limites de cette exubérance : à trop gonfler, toute bulle éclate.

Mais cette jouissance n'est pas seulement personnelle, elle est à transmettre au monde, elle doit atteindre l'humanité ; ce qu'il faut, c'est « donner à jouir à l'esprit humain »[50]. Et le Fonctionnement Universel ne peut se concevoir sans une "Saltation Universelle" :

> « *Oui*, nous entrerons dans un nouveau Paradis, mais *non* un Paradis de l'Homme, plutôt un Paradis (ou aux Jardins) des Raisons adverses, au *Paradis de la Variété*, du Fonctionnement, du Libre et Virtuose jeu, de la Jubilation (Etrusque), de la Gambade, de la Danse, de la Saltation Universelle ».[51]

Cette Saltation concerne donc aussi bien le Monde, le Verbe que l'Auteur. Il est désormais possible de trouver dans chaque texte un plaisir *"infini"*[52], dans chaque poème des "Raisons de vivre heureux"[53]. Chacun possède une force, une "bombe" qu'il peut désamorcer à l'envi. C'est le pouvoir des fleurs :

> « Un pouvoir dans le temps, disséminé dans l'espace ».[54]

Temps, espace ; quelle plus grande espérance peut-il y avoir que de les dominer ?

Mais c'est finalement au lecteur que va revenir cette objoie. A une condition cependant, c'est d'avoir une part active. Pas question d'un simple liseur. Il a un rôle inhérent à la création ; il fait partie de l'œuvre, et ne saurait être absent, pour l'existence du texte, et cette récréation finale :

> « Quant au paradis de ce livre, qu'est-ce donc ? Qu'est-ce que cela pourrait être, sinon, lecteur, *ta lecture* (comme elle mord sa queue en ces dernières lignes) ».[55]

NOTES :

1. *"Notes premières de l'homme"*, Proêmes *in* TP, *p. 245 (*PPC, *p. 215).*
2. *"Faune et flore" in* PPC, *p. 85 (*TP, *p. 95).*
3. *"Le Galet" in* PPC, *p. 98 (*TP, *p. 110-111).*
4. FP, *p. 28.*
5. *"Texte sur l'électricité" in* GRL, *p. 176 (*L, *p. 102).*
6. FP, *p. 264.*
7. *"Pages bis" in* TP, *p. 216 (*PPC, *p. 190).*
8. *"Notes prises pour un oiseau" in* RE, *p. 44 (*TP, *p. 283).*
9. EPS, *p. 91.*
10. *"Texte sur Picasso" in* AC, *p. 334.*
11. *"Notes prises pour un oiseau" in* TP, *p. 287 (*PPC, *p. 51).*
12. *"La Seine" in* TP, *p. 556.*
13. *"Note sur les* Otages *peinture de Fautrier"*, Le Peintre à l'étude *in* TP, *p. 449.*
14. *"L'Asparagus" in* NR, *p. 135-136.*
15. *"Le Platane" in* GRP, *p. 66 (*P, *p. 60).*
16. FP, *p. 234-235.*
17. FP, *p. 222.*
18. *"La Radio" in* GRP, *p. 100 (*P, *p. 89).*
19. *"Le Murmure" in* GRM, *p. 194 (*M, *p. 201).*
20. Nioque de l'Avant-Printemps, *p. 63.*

21. PM, *p. 275.*
22. PM, *p. 133.*
23. "Ad litem" Proêmes *in* TP, *p. 192 (*PPC, *p. 170).*
24. "La Chèvre" in GRP, *p. 208 (*P, *p. 183).*
25. Idem GRP, *p. 212 (*P, *p. 186).*
26. "La Chèvre" in GRP, *p. 212 (*P, *p. 187).*
27. "La Fin de l'automne" in PPC, *p. 33 (*TP, *p. 37).*
28. FP, *p. 233-234.*
29. "Joca seria" in NR, *p. 61 (*AC, *p. 158).*
30. "Nouvelles notes sur Fautrier" in NR, *p. 233 (*AC, *p. 263).*
31. PM, *p. 62.*
32. Colloque de Cerisy, *p. 168 ; le titre de la communication se rapporte directement à ce problème : "Sur les tablette d'Eros Antéros : Ponge et Bataille".*
33. EPS, *p. 171.*
34. Pour Marcel Spada, *p. 5.*
35. EPS, *p. 171.*
36. "La Pratique de la littérature" in GRM, *p. 269 (*M, *p. 275).*
37. PM, *p. 71.*
38. "Le Murmure" in GRM, *p. 193 (*M, *p. 200).*
39. EPS, *p. 187-188 ; même "retrait" dans* PM, *p. 75.*
40. "Le Galet" in PPC, *p. 101 (*TP, *p. 115).*
41. "Le Pré" in NR, *p. 209 ou* FP, *p. 195.*
42. CFPP, *p. 209.*
43. "Le Volet" in GRP, *p. 119-120 (*P, *p. 105).*
44. "Le Soleil" in GRP, *p. 160-161 (*P, *p. 142-143).*
45. "Le Volet" in GRP, *p. 118 (*P, *p. 104).*
46. EPS, *p. 190.*
47. EPS, *p. 190.*
48. Définition du "Momon" dans S, *p. 41. Les "Sapates" comprenaient cinq textes de* Pièces *: "La Terre", "Les Olives", "La Cruche", "Ebauche d'un poisson", "Le Volet".*
50. "My Creative Method" in GRM, *p. 21 (*M, *p. 22). Même idée dans* PM, *p. 290, ou dans "Pages bis" : « Je n'admets qu'on propose à l'homme que des objets de jouissance, d'exaltation, de réveil ».* Proêmes *in* TP, *p. 211 (*PPC, *p. 186).*
51. PM, *p. 148.*
52. Pour Marcel Spada, *p. 4.*
53. Proêmes *in* TP, *p. 188 sqq (*PPC, *p. 166 sqq).*
54. "L'Asparagus" in NR, *p. 135.*
55. S, *p. 128.*

Conclusion

Telle est la récréation pongienne : toute consacrée aux choses et aux mots, elle finit par se porter sur le lecteur. Et c'est justement en tant que lecteur "récréé", que nous voudrions rassembler maintenant les leçons personnelles découvertes tout au long de notre cheminement.

La première remarque qui s'impose à nous, c'est la richesse et la diversité de cette œuvre, à tel point que cinquante années de critiques, qui ont montré une variété surprenante de commentaires et d'avis opposés, n'ont pu que proposer des directions non définitives. Nous sommes convaincus que ces textes sont à découvrir et à rouvrir, qu'ils s'inscrivent dans le futur. Qui est Ponge ? Il est bien vain de chercher l'étiquette qui conviendra le mieux. Car pour nous, si Ponge est bien finalement philosophe, poète, linguiste, il est d'abord Francis Ponge, celui dont cette signature indique la présence personnelle et l'engagement aussi bien dans le monde des choses que dans celui des mots. Et on ne peut guère, comme l'ont fait trop de critiques, se limiter à un seul aspect d'une œuvre qui offre le plus souvent des dualités inséparables : si Ponge est lyrique, il est autant critique, s'il est matérialiste, il est autant humaniste, s'il est poète, il est autant théoricien et praticien du langage. On ne peut donc vraiment l'apprécier qu'en regardant par toutes ces "lunettes"[1].

Il est pourtant des choix clairs dont on peut retenir la leçon. Et le premier choix original, c'est le *Parti pris des choses*. Considérant que toute littérature n'a été jusque-là qu'un mélange d'Idées et de Sentiments, Francis Ponge réhabilite la chose. Il s'oppose alors historiquement aux Surréalistes, qui ne voyaient dans les objets que signes d'une surréalité, et qui cherchaient plutôt dans les prestiges de l'inconscient la richesse de leur expression. Plus proche de Proust, sensible à la moindre participation des choses, plus parent d'une phénoménologie objective de type husserlien, Francis Ponge prend donc en considération les choses, leurs "façons d'être", leurs "instances muettes". Fidèle disciple d'Epicure et de Lucrèce, Ponge s'attache à la présence vivante de leur matière ; mais surtout il exalte leur résistance pour l'esprit, veut en avoir "raison". Car c'est là le sens nouveau que nous voulons donner à ce *Parti-pris* : ce qui risque à jamais d'être *parti*, il faut le rattraper, le *prendre* par la vertu des mots qui retiennent la substance des choses. Il y faut une intelligence, une conaissance qui oblige à un rapprochement avec Claudel. Mais si le mystère de l'un reste chrétien, celui de l'autre reste matérialiste, et la ré-création vient des choses.

Or cette récréation passe par des impératifs catégoriques : « Révéler, élaborer, raffiner, abolir ». Abolir avant tout les dogmatismes, car les idées et les idéologies qu'elles entraînent sont dangereuses. Elles font croire à un infini, un absolu qui pour Ponge ne sont que bévues de l'esprit. C'est ce sens que nous donnons à une autre formule qui renvoie Ponge à Mallarmé :

> « Non pas être, mais êtres.
> « L'infinitif pluriel. »

Ponge préfère en tout cas un relativisme concret plus conforme à la nature des choses, et il l'associe à une pluralité qui offre plus d'espoir, en face de l'angoisse créée par l'utopie de l'unité, l'absurde camusien. Car la variété de Ponge est positive : elle engendre, dans son incomplétude et son inachevé, un élan de recherche et d'émulation des plus productifs. Toutefois il faut simultanément abolir la rhétorique figée, qui ne fait qu'exposer, sans le résoudre, le double problème du langage : l'arbitraire du signe et le polysémantisme ; car on est trop attaché à des structures, sans assez envisager la force de la création. C'est pourquoi pour Ponge, toute énonciation ne peut être en même temps qu'une dénonciation des composantes textuelles. Tout écrit achevé comporte son "apparat" critique, pour montrer les tares, les vices, les ficelles. Abolir, c'est donc chercher à retrouver la spontanéité de l'homme naissant, de l'homme primitif, tout autant qu'un certain "degré zéro de l'écriture".

Et c'est pourtant là qu'à notre avis se pose la principale question de l'œuvre de Francis Ponge : n'est-il pas finalement plus poéticien que poète ? Pour nous la réponse passe par des textes dont les trois quarts présentent des *Méthodes* ; quant au dernier quart, il établit aussi une poétique, mais pas une poétique habituelle (et c'est bien là ce qui dérange), mais une poétique nourrie de l'expérience du poète, de celui qui fabrique, une poétique dynamique et *appliquée* tout de suite, immédiatement en *pratique*, une pro-poétique montrée par l'exemple. Car à quoi est-elle appliquée ? Au seul monde qui le mérite, dont la vérité est vraiment digne, sûre et fidèle, belle, c'est-à-dire celui des choses, qui sont à cette poétique sa matière vivante. Nous pensons quant à nous que le paradoxe est dans ce lien : cette poétique reste souvent poésie, dans la mesure où elle peint la (belle ?) vérité des choses, et ne renvoie qu'a posteriori, mais le plus souvent en même temps, à l'outil qui l'a formée. Et comme il y a pluralité des choses, il ne peut exister une seule réthorique figée. Il en est autant que de poèmes, elles se fabriquent perpétuellement, elles sont constamment en marche, elles sont l'exemple même de la création.

Mais ce rapprochement entre la poétique et la poésie attire l'attention sur un autre problème fondamental : la coïncidence des mots et des choses. Comme l'atteindre, puisqu'elle est impossible par définition ? Nous avons montré que Ponge résout d'abord cette antinomie par une dynamique de l'écriture. Partant d'une matière définitivement acquise et qu'une stylistique structuraliste peut définir, il se fonde d'abord sur une critique perpétuelle, et double. D'abord critique des moyens d'expression, y compris de ceux de l'art, elle oblige Ponge à définir sa poétique par référence à d'autres créateurs, écrivains ou peintres, en "limant" sa création avec celle d'autrui, notamment celle de ses semblables. C'est son intertextualité, où apparaît bien une surdétermination nécessaire à la compréhension. Si M. Riffaterre en a montré le principe, nous pensons cependant qu'elle ne se réfère pas seulement à l'histoire (surtout littéraire) mais aussi aux lexiques, et tout particulièrement à Littré. D'autre part il y a encore plus une continuelle autocritique, laquelle porte sur ce qui vient d'être dit, pour ce qui va l'être. Car comme Ponge retourne toujours à la chose, qui reste "l'objet mis en abîme", et à l'état du texte précédent, l'écrit ne fait que renvoyer à ce qui lui est antérieur, mais en même temps contigu. Il y a donc bien métonymie tautologique : chaque texte se présente même comme une négation du référent qu'il remplace, et aussi de sa matrice textuelle qu'il contrebalance.

De là résulte une double forme des écrits de Ponge : forme ouverte aux multiples variations, où le texte se "frotte" sans cesse à lui-même, ou forme fermée. L'essentiel de cette forme est une "formule" qui comprend divers types, notamment le proverbe et l'oracle, dont les valeurs reposent tant sur la généralité que sur le mystère. Divers structures de ces proverbes ont été présentées : simple phrase nominale tendant à la note, véritable définition, ou petit paragraphe, ils contribuent tous à former une arme, rappelant la "massue cloutée" mallarméenne, ou les exigences surréalistes d'une parole condensée. De plus on doit parler d'un verset pongien parallèle au verset claudélien, avec souvent des rythmes classiques, mais aussi des composantes plus variées. En tout cas, par cette dualité d'une formule frappante et d'une variation continuelle, se crée la frénésie d'une asymptote continuelle et d'un élan à jamais recommencé dans la rage de l'expression.

Mais la meilleure façon de réaliser le coït des mots et des choses, c'est de mêler justement l'énonciation et la dénonciation. Et l'opération se fait par l'entremise de l'humour. Nous distinguons cet humour de l'ironie, laquelle est destructrice, alors que l'humour pongien cherche à faire exister la chose-texte qu'il élabore. En soulignant le "jeu" existant entre les mots et les choses, Ponge l'élimine astucieusement en l'affichant dans un jeu de mots ; les formes qui en sont les plus fréquentes sont le calembour ou la création verbale, le néologisme. Ce jeu de mots, dans la conscience de son audace, et surtout la connivence amusée qu'il affiche, et qui nous semble propre au véritable humour, ne peut que distraire le lecteur, et donc lui faire approuver l'opération, d'autant qu'à aucun moment, il n'est gratuit, que toujours il respecte la vérité de l'objet à dire. Cet humour aboutit alors à l'objeu, objet qui par ses jeux intérieurs conduit au fonctionnement du texte, à ce que nous appelons "l'autobiotique" à administrer au texte, et finalement à la récréation, promesse d'une ère nouvelle.

Car c'est bien là le but de cette œuvre : récréer. Récréer les mots, récréer les choses, mais surtout récréer l'homme par ces mots et ces choses. Et Ponge se révèle donc comme non seulement un matérialiste, mais bien un humaniste de type épicurien, ce qui, pour nous, en ferait une sorte d'Horace des temps modernes. Car ce qu'il vise, c'est bien l'homme, mais l'homme du futur, l'homme du *projet* (pro-jet, jet en avant), terme également caractéristique de l'œuvre pongienne, tant par ce qu'il sous-entend d'inachèvement, que par ce qu'il exprime d'action. L'homme doit donc accomplir par lui-même, se renouveler, se réaliser dans une "insurrection", une "rédemption" passant par sa propre récréation, tout comme le langage est parvenu à se signifier.

Dès lors l'auteur peut se retirer. Le germe ne demande qu'à grandir. Mais la récréation est là, la remise en état est faite. Tout est en ordre de fonctionnement :

> « Là tout n'est qu'ordre et beauté,
> « Luxe, calme et volupté. »

L'homme est dans l'objoie, au Paradis des Raisons Adverses. Une chance est donnée aux choses d'exister ; on ne saurait plus les aimer. Et les hommes peuvent désormais vivre pleinement de ce qui fait leur pain quotidien, choses ou mots :

"BRISONS-LA"[2]

NOTES :
1. C'est la méthode recommandée par Francis Ponge dans le Colloque de Cerisy, *p. 40.*
2. "Le Pain" in PPC, *p. 46 (*TP, *p. 51).*

Un texte inédit de Francis Ponge

Extrait de : *Préface à un Bestiaire*

(« Notes éparses et informes »)

Le Tertre, le 2 septembre 1959

L'homme a été longtemps gêné par les animaux[1]. Encombrants dans la Nature. Il s'opposait à eux. Et donc tout naturellement[2] désirait les franchir, s'en débarrasser. Régner sur certains, se servir des autres.

Un tel sentiment n'existe plus guère. Nous en jouissons plutôt maintenant (des plus dangereux même) mais sans y attacher aucune importance, sans gravité. Il s'agit d'une distraction, d'un amusement.

Il s'agit pour nous d'une délectation, mineure.

L'homme ne fait plus société avec eux. (Il a assez à faire, à faire société avec lui-même). Il y a de plus en plus d'hommes (pour chaque homme), et de moins en moins d'animaux (dans sa préoccupation, dans son champ visuel, dans son champ d'esprit). L'arche de Noë, cela[3] ne veut plus rien dire.

Les animaux ne nous sont plus présents. Ne nous imposent plus leur présence. Ne s'imposent plus à nous.

Nos sentiments à leur égard sont beaucoup plus faibles.

Nous pensons aux hommes. Nous pensons à l'Homme. Voyant (par hasard) les animaux, c'est encore à l'homme auquel ils ressemblent que nous pensons. Ils peuvent au besoin (à peine) nous servir de langage. Ils sont abstraits. Signes. Ecriture. (A peine...).

Et pourtant...

Plus aucune valeur magique. Nous n'avons plus à les exorciser[4].

Voici venue (à leur propos) l'époque de l'Art. Je veux dire de l'art mineur. Qui n'est plus le Grand Art, la Pratique, l'Art de vivre.

Quelques artistes cependant, parmi les plus grands... (mais est-ce justifié ? est-ce légitime ?)

Le Tertre, 4 septembre après-midi

(...) Les artistes, admirant dans les créatures la création, y trouvent des idées de couleurs et de lignes — et parfois les modèles de la beauté.

Il y a bien une théorie actuelle selon laquelle le monde extérieur étant considéré comme[5] sans intérêt, épuisé, lassant, l'artiste pense trouver en lui-même, sortir de son propre fonds des choses inédites, seules intéressantes, plus difficiles à exprimer que les réalités objectives, mais seules dignes d'intérêt. Mais d'où pense-t-on que soient venues dans notre fonds ces couleurs et ces lignes ?

(...)

(Faudrait-il parvenir à la précision et simplicité du signe — du moins quant à l'apparence superficielle —
Mais un signe qui ne signifie *rien*, qui n'entre dans aucune système[6], qui ne renvoie perpétuellement qu'à lui-même).

NOTES :
1. En marge et encadré, F. Ponge a rajouté : « Il avait à s'en débarrasser. Voilà à présent qui est fait ».
2. Ces trois derniers mots ont été rajoutés.
3. Ce mot a été rajouté dans une phrase elle-même rajoutée.
4. Dernière phrase rajoutée.
5. Mot rajouté.
6. sic.

Francis Ponge
Entretiens

qu'il avait connu, lui, en Algérie, à Alger, et qui est devenu un grand ami pour lui, ils avaient le projet d'éditer en zone sud une revue qui se serait appellée *Prométée*, et qui était une espèce de *Nouvelle Revue française* en zone dite libre. Pia m'avait écrit en me demandant si j'avais des textes à donner pour cette revue dont il préparait les sommaires ; à quoi j'ai répondu que je n'avais rien, pour le moment, mais que je me mettais à leur disposition pour tous travaux, enfin je ne sais quoi, écrire des lettres, faire du travail, des petites choses, mais des choses utiles. Alors nous nous sommes rencontrés (à ce moment-là donc j'habitais Roanne) à mi-chemin de Lyon, c'est-à-dire à un endroit qui s'appelle Tarare, et Pia a fait en sorte que la direction m'a dit (je ne me rappelle plus si on se vouvoyait ou si on se tutoyait ; je crois qu'on se tutoyait), il m'a dit : « Tu ne peux pas rester à Roanne ». J'étais tout simplement employé de quelqu'un qui était régisseur d'immeubles, et qui avait un petit portefeuille d'assurances, dont le titulaire était prisonnier ; et je m'occupais de ce portefeuille d'assurances. Et il m'a dit : « Tu ne vas pas rester là », où j'étais évidemment pas très bien payé, et il a convaincu le *Progrès* de me demander un billet, des billets de quelques dizaines de lignes, pour parler des choses intéressant la ville de Roanne, en quelques lignes. Ça a été fait, et j'ai donc écrit des Gillets, et j'ai un recueil qui s'appelle *Hors-sac* (ils étaient envoyés hors-sac), j'ai donc envoyé des billets pendant un certain temps à Lyon, pour la rubrique "Roanne", un ensemble de textes...

G.L. — *Et ces textes n'ont jamais été republiés ?*

F.P. — C'est-à-dire qu'un de ces textes a été publié par Jean Thibaudeau dans son recueil *Francis Ponge* dans la collection de Gallimard, un seul ; mais justement *L'Herne* a l'intention de publier l'ensemble.

Alors à Lyon donc, je ne me rappelle pas exactement, il s'est trouvé que Pia m'a obtenu du *Progrès*, que je sois employé par le *Progrès*, comme représentant de Bourg-en-

Bresse, à Roanne d'abord peut-être, je ne me rappelle plus, et ensuite à Bourg-en-Bresse ; et j'ai donc été à Lyon dans la direction, enfin dans les bureaux, et à l'imprimerie aussi. J'ai fait un stage de mise au courant à la fois de la personne qui était donc Courtade, qui s'occupait à Lyon des éditions du journal pour ma région, où je serais représentant, et j'ai connu là un travail de nuit, parce que les éditions sortaient tard. C'est-à-dire que je restais au *Progrès*, à l'imprimerie, à l'endroit qu'on appelait le marbre, l'endroit où on est en face de l'ouvrier qui s'occupe de la mise en page, et où on lui donne des indications pour la mise en page, les titres sur deux colonnes, à gauche, etc. Et on travaille avec le linotypiste (maintenant ça ne se fait plus caractère par caractère, mais à l'époque les plombs sortaient sous forme de ligne) et on s'occupe aussi de la correction, de la mise en page. C'est un travail très passionnant, dont j'ai gardé un très bon souvenir. J'avais d'ailleurs, ou c'est ensuite que je l'ai fait, à Paris dans un journal, pas à *Combat*... j'avais travaillé à la mise en page...

G.L. — *Ça se voit dans votre œuvre, parce que souvent vous parlez de l'imprimerie ; vous parlez du bas de casse...*

F.P. — Oui, c'est ça, le bas de casse !... Oui, je veux dire... le *Progrès* était rue de République à Lyon, et derrière il y a une rue qui s'appelle rue de la Bellecordière, c'est toujours ça ? Et alors ça donnait à la fois sur les deux rues, et c'était derrière que la nuit, tard, on allait se restaurer dans un espèce de bistrot, où on pouvait un peu se reposer en attendant la sortie des premiers numéros, rue de la Bellecordière, oui.

J'ai des souvenirs aussi de Lyon à cette époque, parce que c'est là, c'est à Lyon aussi, je crois, que j'ai rencontré Camus, pour la première fois. Lui, vous savez qu'il était phtysique — il avait les deux poumons pris — et il séjournait à l'époque dans un endroit que j'ai bien connu (c'est l'endroit d'ailleurs où j'ai connu Odette), qui s'appelle Le Chambon-sur-Lignon, qui est à l'altitude, à mille mètres, à peu près ; et il vivait là parce que c'était mieux pour lui. Mais il descendait chaque mois à Saint-Etienne, pour se faire insuffler, comme on disait, et de Saint-Etienne il venait à Lyon de temps en temps. Et j'ai connu Camus physiquement, je crois, à cette occasion d'un passage à Lyon, et où je me rappelle avoir déjeuné avec lui et le père Bruckberger, comme ça, dans un petit restaurant de Lyon. Il y avait aussi des restaurants assez bien, qui étaient peut-être des restaurants un peu de marché noir, qui étaient derrière la place Bellecour, dans une petite rue...

G.L. — *La rue des Marronniers ?*

F.P. — C'est ça... Où il avait un certain nombre de restaurants, où j'ai déjeuné, là. Je me souviens notamment d'un déjeuner avec le père Bruckberger.

G.L. — *De quoi parliez-vous avec le père Bruckberger ?*

F.P. — Eh bien écoutez, vous savez, à ce moment-là j'étais communiste, j'étais tout à fait communiste, et alors j'ai eu une correspondance avec Albert Camus, qui, à un moment donné, s'est rendu à Saint-Maximin, chez les pères... comment s'appellent ces pères ?... les pères qui travaillent dans "le Monde" ; et le père Bruckberger était un des représentants célèbres qui mettait les pieds sur la table, fumait la pipe, etc. Alors Camus a fait un séjour à Saint-Maximin ; il y a eu une correspondance de moi avec lui, qui est très intéressante, parce que je défens mon point de vue communiste, enfin antireligieux, et lui me répond. Et c'est une partie de notre correspondance, qui est relativement intéressante, et qu'il y a un projet de publication de Gallimard, qui voudrait publier ma correspondance avec Camus ; et c'était d'accord avec la femme de Camus, Francine Camus, car il se trouve d'ailleurs qu'Odette et moi nous avons connu Francine et ses sœurs, bien avant de connaître Albert, justement au Chambon. Si bien que c'était d'accord qu'on se communiquait tout ce qu'on pouvait avoir, relatif à cette correspondance, parce qu'à l'époque on ne gardait pas un double de ce qu'on envoyait.

Alors on s'était entendu, et puis Francine est morte ; nous l'avons vue quelques semaines avant qu'elle... non pas qu'elle succombe, qu'elle commence à éprouver les souffrances de la tumeur cancéreuse qui l'a emportée quelques mois après. Nous l'avons rencontrée à Paris, à l'occasion d'une chose à Pompidou ; nous avons dîné avec elle, puis elle nous a ramenés rue Lhomond en voiture. Et alors tout récemment ses enfants, les enfants qu'elle a eus d'Albert, qui sont deux jumeaux, un garçon et une fille, voulaient reprendre ce projet (...) Tout ça s'entrecroise...

Et à Lyon il y a quelque chose d'assez important qui s'est passé à Lyon pendant que j'étais dans les bureaux du *Progrès*, c'est que Paulhan, Jean Paulhan et sa femme sont venus à Lyon. Il a demandé à me voir ; il était venu au *Progrès*, et finalement je me suis promené avec lui dans Lyon pendant quelques heures. Il est venu à Lyon je ne sais pas pourquoi ; il avait affaire à Vichy aussi, pour la *Nouvelle Revue française*, exactement quoi, je ne sais plus ; enfin il est venu à Lyon, et on a parlé à Lyon, enfin il s'est passé des choses relativement importantes.

Et puis c'est à Lyon que j'ai connu ce garçon admirable qui s'appelait René Leynaud, qui a été malheureusement arrêté par les Allemands, et fusillé. Et tout récemment j'ai reçu quelqu'un dont un fils, ou plutôt sa belle-fille, la femme de son fils, travaille à Neuville. Et c'est là que Leynaud a été fusillé. Les gens qui étaient à Montluc ont été rassemblés et puis mis dans un autocar, et fusillés à Neuville... Enfin les souvenirs de Lyon sont très importants, très nombreux. Il y a des souvenirs antérieurs, avant la guerre, à Lyon aussi (...) Et les souvenirs que j'ai à Lyon de l'Occupation sont des souvenirs, comment dirai-je ? assez exaltants, parce que c'était vraiment une époque où on savait ce que c'était que la fraternité, parce que les risques de l'état de résistant, où on était dans la clandestinité, étaient très graves, évidemment ; mais en même temps ça créait une espèce de fraternité. Vous comprenez, avec les gens qui connaissaient les mêmes risques, qui menaient les mêmes luttes, il y avait une espèce de fraternité qu'on n'a jamais retrouvée. On ne peut pas dire que c'était le bon temps, mais c'était quand même quelque chose d'assez remarquable. Il y avait notamment à Lyon une galerie de peinture, d'objets et de peintures, qui s'appelait Michaud, ça ne s'écrit pas comme Henri Michaux, dans un quartier central à Lyon, et puis après il s'est déplacé et il est allé justement dans la montée, vers la Croix-Rousse... Comment s'appelle la place où il y a l'hôtel de ville ?

G.L. — *La place des Terreaux ? Vers la montée de la Grande-Côte ?*

F.P. — La montée de la Grande-Côte. Alors assez rapidement, bien avant qu'on ne monte plus haut, il y avait cette galerie, qui était un des lieux de rendez-vous de la Résistance, enfin des gens qui étaient des résistants. Et c'était d'ailleurs en face de cette galerie que partait la rue qui s'appelle maintenant rue René-Leynaud, et qui s'appelait rue Vieille-Monnaie, et où Leynaud habitait, et où j'ai moi-même à plusieurs reprises habité et où j'ai écrit des textes publiés dans cette galerie.

Enfin le nombre de souvenirs que j'ai de Lyon... Et alors en haut, c'est l'endroit des ouvriers de la soie, des canuts ; il y avait un restaurant populaire qui était tenu par les parents d'un garçon que j'ai beaucoup connu, qui s'appelait Picq et qui était drogué, mais qui était un personnage intéressant, enfin très intéressant, qui était à la fois un poète et un peintre, un dessinateur. Et alors un de mes textes, le premier texte sur la peinture est un texte qui est dans *Le Peintre à l'étude*, et c'est un texte sur Picq. Enfin ses parents tenaient un restaurant qui étaient un des rendez-vous de la Résistance. J'ai retrouvé là-haut dans ce restaurant des gens que j'avais connu à Lyon, des juifs, comme le médecin... pas à Lyon, à Rouen, à Quevilly... qui était aide-major, et qui était le plus grand éditeur, imprimeur, journaliste, enfin qui était le propriétaire du journal, qui s'appelait le *Journal de Rouen* ?, enfin à l'époque, ...donc qui était juif et qui m'avait reconnu, quand j'avais passé le premier examen médical, quans je suis arrivé, mobilisé en septembre 1940 ; j'étais plutôt étonné parce qu'à ce moment-là je n'avais publié pour ainsi dire rien, et il me dit : « C'est vous l'auteur de..., le poète ? » ; j'étais très étonné, et ce garçon, c'était donc un personnage important de Lyon, et je l'ai retrouvé à Lyon, dans ce bistrot.

J'ai trop à dire, n'est-ce pas, c'est trop. Toutes les histoires qu'en ce moment-ci on rappelle, par exemple l'histoire de Jean Moulin, tout ce qu'à ce moment-là on a vécu, qui s'est passé à Lyon, on en parle beaucoup maintenant ; c'est l'histoire du danger de Lyon qui a quand même, à un moment donné, été la capitale de la Résistance, c'est évident. Et en même temps c'était à la fois infiltré d'espions...

Le nombre de souvenirs que j'ai !... Tenez, tout récemment, j'ai eu affaire avec le peintre Bazaine. Eh bien c'est à Lyon que j'ai vu les premiers Bazaine, dans une espèce de bistrot bizarre, une espèce d'appartement où il y avait tout ce qu'il fallait pour manger, il y avait du thé, du chocolat, il y avait des choses qui étaient arrivées de Suisse ; je me rappelle avoir pris un jour le thé avec Elsa, la femme d'Aragon, et puis une autre personne, et il y avait au mur un Bazaine rouge ; ensuite cette époque de Bazaine a été brûlée...

C'est aussi à Lyon qu'après la retraite, l'exode, nous avons abouti à un endroit où j'ai retrouvé ma famille, Odette et notre fille, et nous avons vécu au Chambon pendant une partie de l'été, et puis je n'avais plus d'argent, il fallait que je trouve quelque chose. C'est là que j'ai écrit *Le Carnet du bois de pins*. Et alors j'ai contacté des amis qui habitaient rue Saint-Clair, dans de très beaux immeubles, sur les bords de l'île du Rhône ; c'était aussi des gens qu'Odette connaissait, parce qu'ils venaient aussi au Chambon-sur-Lignon ; j'ai oublié le nom de la femme de ce garçon qui, lui, s'appelait Thermac — ils sont morts tous les deux d'ailleurs — et c'est eux qui nous ont logés, et c'est lui qui avait des relations avec les assurances, alors qu'il était plutôt dans la soie, qui m'a trouvé la situation à Roanne. J'ai fini par aller habiter Roanne, j'ai précédé Odette et sa fille, qui sont restées chez Thermac, rue Saint-Clair, et moi je suis allé prendre le poste à Roanne, et puis j'ai fait venir Odette, une fois que j'ai eu trouvé un appartement. C'était là que j'ai commencé à rédiger mes notes qui s'appellent *Souvenirs interrompus* sur la période roannaise. Voilà.

G.L. — *J'aimerais qu'on parle maintenant de la critique. Je voudrais partir d'une réflexion que vous avez faite, en disant que les critiques étaient des "ratés de l'écriture", et souligner un peu un paradoxe, parce que vous finalement, vous avez écrit beaucoup de choses qui sont des critiques ; et même à la limite vous avez écrit plus de critiques sur les peintres...*

F.P. — C'est-à-dire que c'est incorporé ; très souvent la critique est incorporée, intégrée dans la création ; création et critique sont intégrés. Non, ce que je crois avoir dit très exactement, c'est que seuls les créateurs, ceux qu'on appelle abusivement les créateurs, pour les opposer justement aux critiques, enfin des gens qui produisent, connaissent seuls à la fois les joies et les affres de la création, qui sont quelque chose qui ressemble à l'enfantement. Il faut porter quelque chose, comme une femme porte un enfant, un bébé, un fœtus ; donc le temps qu'il faut les porter ; ensuite les douleurs de la mise au monde, enfin de l'accouchement, et les risques aussi que ça comporte. C'est-à-dire que ceux qui produisent des textes connaissent seuls, plus que les gens qui ne sont que critiques, des gens qui se considèrent comme très au-dessus des personnages dont ils parlent, parce qu'ils se placent dans une position de supériorité, qui n'est pas du tout justifiée, à mon sens, parce que justement il ne savent pas ce que c'est que le fait de porter comme ça un enfant, un texte comme une femme porte un enfant. Alors c'est ça que j'ai dit, c'est seulement cela. Il est évident que l'activité de critique est très souvent... Je crois que vous vous référez à un de mes dialogues avec Philippe Sollers. Vous savez le chemin, la course de Sollers sur le plan de la politique, une course en zigzags... Le fait est qu'il a été à un moment donné tout à fait communiste, dans la ligne orthodoxe, et c'est à ce moment donné que nous avons fait nos entretiens. Et il était très violemment pour les gens qui produisaient des textes, et contre ceux qui en parlaient, alors que..., ou qui n'en parlaient pas et les laissaient dans l'ombre, alors qu'il pouvait se produire à la même époque des gens dont on s'apercevrait plus tard qu'on avait eu tort de ne pas en parler. Alors je crois que c'est à ça que vous vous référez. Il se trouve aussi qu'il me souvenait (je crois même que c'est dit en propres termes dans ce chapitre de mes *Entretiens avec Philippe Sollers*) des gens comme Sartre et Simone de Beauvoir ; je me réfère notamment à une époque où Gallimard avait fondé un prix, qui s'appelait "Prix de la Pléiade", je crois, et j'étais sur les rangs, pas sous mon nom, parce qu'il ne fallait pas, et j'ai failli avoir le prix, parce que j'ai été en balance pendant plusieurs tours de scrutin, et Sartre faisait partie du jury ; il a voté pour moi pendant un certain temps, en même temps qu'ont voté pour moi Malraux, Camus, d'autres, Eluard ; mais finalement, quand il a vu que je n'avais aucune chance, il a cessé de voter pour moi. Et c'est quelqu'un qui a eu le prix, qui n'avait pas de raison particulière de l'avoir, qui est d'ailleurs un parent de moi par alliance, qui avait déjà eu des prix ; c'est un écrit parfait, enfin académique... Sartre et Simone de Beauvoir se sont mordu les doigts en quelque façon de n'avoir pas continué à voter pour moi, et puis je n'ai pas eu le prix, et ils ont dans leurs mémoires (surtout Simone de Beauvoir d'ailleurs a écrit qu'un ouvrier, qui était membre du parti communiste ouvrier, plus volontiers s'était rattaché)... Vous savez que Sartre a écrit, alerté par Camus que j'avais connu au Chambon, et à Lyon, son texte sur moi : "L'Homme et les choses", qui a été publié d'abord par Seghers (il y a deux livraisons), et ensuite il y a eu un petit livre, tiré à quelques exemplaires, et ensuite il a repris ça dans *Situations*. (...)

Tout récemment, dans Folio junior (ils vont faire une anthologie de mes textes)... je crois que je vous l'ai déjà raconté... Quand j'ai eu cette grave opération de la vésicule, j'étais à l'hôpital Saint-Antoine, et la première chose que j'ai lue, quand je me suis réveillé, c'est un article, je crois que c'est du journal *Le Monde*, où il était dit que j'étais le numéro un... On avait fait une espèce d'enquête auprès des enfants pour savoir quel était l'écrivain qu'ils préféraient, donc c'était moi qui était le premier.

G.L. — *Ça étonne beaucoup de gens, en particulier mes collègues de savoir que finalement vous êtes un poète pour les enfants ; parce que beaucoup de gens vous jugent comme un écrivain compliqué...*

F.P. — Hermétique, oui. En ce moment j'ai des preuves plus anciennes de ma notoriété, c'est-à-dire des années vingt à trente, où vraiment je n'étais connu que de l'élite, d'une chapelle. Et bien j'ai eu la preuve que des enfants lisaient mes textes, et pourtant la parution était tout à fait anarchique ; eh bien les instituteurs donnaient mes textes à lire et à étudier à leurs élèves, des enseignants dans les classes primaires.

G.L. — *Mais à vrai dire La Fontaine est un auteur que les enfants lisent bien, mais qui n'est pas facile.*

F.P. — Vous savez, la chose qui m'a fait le plus plaisir, de tout ce qui s'est passé à Avignon, c'est justement le fait de mon rapprochement avec La Fontaine. La Comédie-Française a beaucoup participé, et ils annoncent, pour être repris à Paris, à la salle Richelieu, une soirée littéraire, une soirée La Fontaine, et une soirée Ponge. Ça m'a fait le plus grand plaisir. Parce que La Fontaine c'est vraiment un de mes auteurs de chevet, plus encore que Malherbe. Malherbe bien sûr, mais plus encore La Fontaine, parce qu'il y a une espèce de bonhomie, et je préfère aussi Horace à Lucrèce, à cause de cet espèce de bonhomie.

Entretien réalisé le 12 octobre 1985 au Mas des Vergers.

Bibliographie

Les œuvres de Francis Ponge ont été le plus souvent publiées dans des plaquettes à tirage restreint et textes parus, puis rassemblées dans des ouvrages de synthèse dits collectifs. Toutefois, certaines n'ont pas été reprises. Quatre ouvrages bibliographiques sont essentiels pour la connaissance des différentes publications et des divers manuscrits :

1) La bibliographie établie par François Chapon dans son catalogue *Francis Ponge/Une œuvre en cours* (Paris, Bibliothèque littéraire Jacques Doucet, 1960). Cette bibliographie a été reprise par Jean Thibaudeau dans son *Ponge* (Paris, Gallimard, La Bibliothèque idéale, 1967), p. 261 à 269.

2) Le "Catalogue des manuscrits de Francis Ponge" établi par François Chapon dans le *Francis Ponge* - Manuscrits. Livres. Peintures, 25 février-4 avril 1977, Paris, Centre national d'art et de culture Georges-Pompidou (Paris, Impr. Union) 24 février 1977, p. 17 à 66.

3) La "Bibliographie des éditions originales de Francis Ponge" dans le *Bulletin du bibliophile*", 1976, III, de Claire Boaretto. Mais pour les ouvrages récents, on peut compléter avec :

4) La bibliographie constituée par Marcel Spada dans son *Francis Ponge*, Paris, P. Seghers, 1974 et 1979, Coll. "Poètes d'aujourd'hui" n° 220. L'édition de 1979 est revue et augmentée (p. 170-190).

1. Les recueils

1) *Tome premier*, Paris, Gallimard, 1965, 621 p. regroupe :
a) *Douze petits écrits*, Paris, Ed. de la Nouvelle Revue française, coll. "Une œuvre, un portrait", 1926 (p. 7 à 32).

b) *Le Parti pris des choses*, Paris, N.R.F., coll. “Métamorphoses”, 1942 (p. 33 à 115).
c) *Proêmes*, Paris, Gallimard, 1948 (p. 117 à 252).
d) *La Rage de l’expression*, Lausanne, Mermod, 1952 (p. 253 à 415).
e) *Le Peintre à l’étude*, Paris, N.R.F. 1948 (p. 417 à 521).
f) *La Seine*, Lausanne, La Guilde du livre, 1950 (p. 523 à 611).

2) *Le Grand Recueil*, Paris, Gallimard, 1961, est composé de trois tomes :
a) *Lyres*, comprenant des textes de 1923 à 1953, plus une dédicace “Au lecteur” de 1961, 189 p.
b) *Méthodes*, comprenant des textes de 1947 à 1952, 307 p.
c) *Pièces*, comprenant des textes de 1924 à 1957, 219 p.

3) *Pour un Malherbe*, Paris, Gallimard, 1965, 335 p.

4) *Le Savon*, Paris, Gallimard, 1967, 136 p.

5) *Le Nouveau Recueil*, Paris, Gallimard, 1967, 238 p., comprenant des textes de 1921 à 1965, en deux parties (1-98 ; 99 à 234).

6) *Les Entretiens de Francis Ponge avec Philippe Sollers*, Paris, Gallimard/Seuil, 1970, reprennent une émission diffusée sur France-Culture du 18 avril au 12 mai 1967, 194 p.

7) *La Fabrique du pré*, Genève, A. Skira, 1971, Les Sentiers de la création, n° 11, 272 p.

8) *Comment une figue de paroles et pourquoi*, Digraphe, Flammarion, Paris, 1977, 213 p. Présente les différents manuscrits de *La Figue*.

9) *L’Atelier contemporain*, Paris, Gallimard, 1977, 363 p., comprenant :
a) un texte “Au lecteur”, p. VII à IX ;
b) “L’Atelier” p. 1, publié dans *Le Grand Recueil* III, p. 122 ;
c) “Le Peintre à l’étude” p. 5 à 79, publié dans *Tome premier*, p. 417 à 521 ;

d) des textes (p. 80 à 146) publiés dans *Le Grand Recueil* I, p. 58 à 119 ;
e) "Pochade en prose" publié dans *Le Grand Recueil* II, p. 46 à 50 ;
f) des textes (p. 151 à 274) publiés dans *Nouveau Recueil* : p. 47 ; 51 à 130 ; 141 à 148 ; 161 à 176 ; 179 à 200 ; 211 à 232.
g) des articles parus depuis 1966, p. 275 à 357.

10) *Le Colloque de Cerisy* rassemble les différentes communications du colloque tenu à Cerisy-la-Salle du 2 au 12 août 1975 sur le thème : "Ponge inventeur et classique" ; Paris, Union Générale d'Editions, 1977, Collection 10-18, 436 p. Il comprend diverses interventions dans les discussions et une conclusion de l'auteur : "Questions à Francis Ponge", p. 408 à 432.

11) *L'Ecrit Beaubourg",* Paris, Centre Georges-Pompidou, 1977, 27 p.

12) *La Table* in *Etudes Françaises"* 17/1-2, Montréal avril 1981, p. 9 à 49.

13) *Nioque de l'Avant-Printemps*, Paris, Gallimard 1983, 72 p.

14) *Pratiques d'écriture* ou l'inachèvement perpétuel avec 16 dessins de François Rouan, L'Esprit et la main, Paris, Hermann, 1984.

De plus, certaines de ces œuvres ont été publiées dans des éditions de poche :

1) *Le Parti pris des choses*, précédé de *Douze petits écrits* et suivi de *Proêmes*, Paris, Gallimard, 1967, 224 p., coll. "Poésie".

2) *Pièces (Le Grand Recueil* III), Paris, Gallimard, 1971, 194 p., coll. "Poésie".

3) *Méthodes (Le Grand Recueil* II), Paris, Gallimard, 1971, Coll. "Idées", 320 p.

4) *La Rage de l'expression*, Paris, Gallimard, 1976, Coll. "Poésie", 224 p.

5) *Lyres (Le Grand Recueil* I), Paris, Gallimard, 1980, Coll. "Poésie", 192 p. Les pages 58 à 125 du *Grand Recueil* I ne sont pas reprises.

6) I. Higgins : *Le parti pris des choses* (éd. crit.) Athlone Press Lond. 1979.

Textes publiés à part

1) *Nuits de la Fondation Maeght* (E pur si muove !), Paris, Ed. de la Fondation Maeght, 1967, sans pagination.

2) "Nioque de L'Avant-Printemps", *L'Ephémère* II, Saint-Paul-de-Vence, Ed. de la Fondation Maeght, 1967.

3) "L'Avant-Printemps" dans le n° 33 de *Tel Quel*, Printemps 1968. N.B. Ce texte ainsi que le précédent ont été repris dans *Nioque de L'Avant-Printemps.*

4) "L'Opinion changée quant aux fleurs" dans *L'Ephémère* V', Saint-Paul-de-Vence, Ed. de la Fondation Maeght, 1968.

5) "Deux Récents Manifestes indirects", *Mantéia*, n° 5, 1968.

6) "Pour Marcel Spada", introduction à Marcel Spada : *A la fête Rouquine*, Paris, 1969, Christian Bourgois. Il a été tiré à part 20 exemplaires de "Pour Marcel Spada", 15 p. sans nom d'éditeur. C'est à ce dernier ouvrage que nous nous sommes référés.

7) "Müster Möglicher Welte. Eine anthologie für Max Bense" (Pour Max Bense), Wiesbaden, 1970, Limes Verlag, texte de Ponge, p. 143-144.

8) "Homage to Ungaretti" ("Son nom seul aujourd'hui put sortir de ma gorge"), Norman, Oklahoma, 1970, *Books Abroad*, vol. 44, n° 4.

9) "Ecrits récents" dans "Ponge aujourd'hui", *TXT*, n° 3-4, print. 1971, p. 36-39.

10) *Miroirs auto-portraits* ("Le petit oiseau qui sortira de la chambre noire sera fusillé"), Paris, Denoël, 1973 ; texte de F. Ponge, p. 154.

11) *Présent à Henri Maldiney* ("With and to Henri Maldiney cheer up"), Lausanne, Editions L'Age d'Homme, 1973 ; texte de Ponge p. 7-8.

12) *Mais pour qui donc se prennent maintenant ces gens-là ?* Paris, février 1974, 4 p. (pamphlet).

13) "Envoi à Henri Maldiney d'un extrait de mon travail sur La Table" in *Le Legs des choses dans l'œuvre de Francis Ponge* par Henri Maldiney, Lausanne, Editions L'Age d'Homme, 1974 ; texte de F. Ponge, p. 7-9.

14) "Deux lettres de Francis Ponge à Jean Paulhan" in *Francis Ponge* par Marcel Spada, Paris, Seghers, 1974, p. 124-129.

15) "La Démonstration Denis Roche (Voici déjà quelques hâtifs croquis pour un "Portrait complet" de Denis Roche), *TXT*, Rennes, n° 6-7, 1974.

16) "L'âne, De la pluie, La serviette éponge" in *Books abroad an international literary quaterly* University of Oklahoma, Automne, 1974 (volume 48, n° 4) p. 652-654 ; ces textes ont été repris par la revue *Digraphe* n° 8, 1976.

17) "Du Vent !" in *Paroles peintes*, Paris, Editions Odette Lazare-Vernet, 1975, 107 p.

18) "Nouvelles Pochades en prose" in *Philippe Jaccottet*, Genève, *La Revue des Belles Lettres", 1976 ;* texte de F. Ponge, p. 9-12.

19) "Pour étrenner ma droite", pages manuscrites de "L'Opinion changée quant aux fleurs", *Cahiers critiques de la littérature*, n° 2, décembre 1976, p. 10-21. Dans la même revue, on trouve un "Entretien avec Francis Ponge", p. 4-32 et "Intervention à Cerisy", p. 76-82.

20) "Petite machine d'assertions pour aider à l'élévation à son rang de notre Gabriel Audisio", *Sud*, 20, 1er trimestre 1977, p. 19-20.

21) Sans titre, dans *Nouvelle Revue française*, n° 295, juillet 1977, p. 115 (Hommage à Malraux).

22) "Nous, mots français" dans *Nouvelle Revue française*, n° 302, mars 1978, p. 51 à 58.

23) Sans titre dans "En souvenir d'Anne Heurgon-Desjardins", Centre culturel international de Cerisy-la-Salle, S.D. (juillet 1978), 24 p.

24) "Souvenirs interrompus" dans *Nouvelle Revue française*, octobre à décembre 1979, n° 321, p. 1 à 23 ; n° 322, p. 54 à 74 ; n° 323, p. 45 à 66.

Filmographie :

Vers Francis Ponge (Questions sur la poésie — *Le Verre d'eau* et *Le Pré*), film de télévision (durée : 1 heure) réalisé par J. Casaril, 1re diffusion le 29 mars 1966.

Initiation à la littérature contemporaine, film pour la télévision scolaire (durée 30 mn), réalisé par S. Roumette. 1re diffusion :
a) 29 mars 1968 (*Francis Ponge ou un nouveau matin* — entretien sur la poétique) ;
b) 19 avril 1968 (*L'abricot bien tempéré* — explication du texte par l'auteur).

Le Volet, court métrage réalisé par C. Vilardebo pour la D.G.A.C.T. du ministère des Affaires étrangères, avec le concours de Pathé-Cinéma, Paris, 1972.

Francis Ponge, émission d'*Apostrophes* ; dialogue avec B. Pivot avec la participation de P. Jacottet, R. Sabatier, R. Planchon, P. Oster, J. Ristat, sur le thème : la poésie ; émission du vendredi 8 avril 1978 (durée 1 h 30).

Emission dirigée par Isabelle de Vigan consacrée à *Francis Ponge*, diffusée le 11 avril 1982 (durée 1 h) où F. Ponge envisage divers aspects de sa création.

2. Ouvrages critiques

Une bibliographie importante a été fournie dans le *Ponge* de Jean Thibaudeau, Paris, Gallimard, La bibliothèque idéale, 1967. Cet ouvrage cite d'ailleurs de nombreux extraits des principaux critiques. Un très minutieux article de B. Beugnot et R. Mélançon a été publié dans *Etudes françaises* P.U. Montréal 17/1-2 avril 1981. Dans cet article intitulé : "Fortunes de Ponge 1924-1980", un panorama très complet est donné des diverses critiques avec leur résumé.

1) Etudes d'ensemble

a) P. Sollers : Francis Ponge, Paris, Seghers, 1963, "Poètes d'aujourd'hui", n°95, 224 p. Ce livre contient des extraits de critiques (p. 81 à 131).
b) J. Thibaudeau : *Ponge*, Paris, Gallimard, "La Bibliothèque idéale", 1967, 288 p. Bibliographie p. 261 à 279 (p. 269 à 277 pour les critiques).
c) M. Spada : *Francis Ponge*, Paris, Seghers, 1974, "Poètes d'aujourd'hui", n° 220, 192 p.
Une deuxième édition, revue et augmentée, a paru en 1979 (192 p. également). Les textes choisis sont différents. On trouve une biographie (p. 160 à 169), une bibliographie (p. 170 à 189, ou 190 dans la 2e édition) et un important choix de critiques (p. 72 à 84).
Par ailleurs le même auteur a soutenu une thèse à Montpellier, *Erotiques du merveilleux*, où certaines pages sont consacrées à Francis Ponge.
d) I. Higgins : *Francis Ponge*, Achlone Press, 1979, Londres.
e) J.-M. Gleize et B. Veck : *Francis Ponge*, Paris, Larousse, 1979 ("Textes pour aujourd'hui"), 96 p. Eléments bibliographiques p. 91-95.
f) Un important ouvrage sur la correspondance de F. Ponge et J. Paulhan qui fait suite à la thèse de C. Boaretto à Paris VII.

g) J.-M. Gleize, *Actes critiques*, 1983.
h) S. Koster : *Francis Ponge*, Paris, Henri Veyrier, 1983, 148 p.
i) J. Tortel : *Francis Ponge, cinq fois*, Montpellier, 1984, Fata Morgana, 88 p.

2) Etudes particulières ou articles

Jusqu'en 1956 :

a) J. Hytier : "Francis Ponge" *Le Mouton blanc*, novembre 1924.
b) B. Groethuysen : "Douze petits écrits", Paris, N.R.F., avril 1927.
c) J.-P. Sartre : "L'homme et les choses", in *Situations* I, Paris, Gallimard, 1944, p. 245 à 293.
d) M. Blanchot : *La Part du feu*, Paris, Gallimard, 1949, p. 326-336 ; cf. aussi : "Au pays de la Magie" (Michaux et Ponge), *Journal des débats*, 15 juillet 1942, et *Le Livre à venir*, Paris, Gallimard, 1959, p. 230.
e) J. Tortel : "Le Parti pris des choses", *Cahiers du Sud*, juillet-août 1944. "Francis Ponge ou la formulation globale", *Cahiers du Sud*, XXXVII, 1953.
f) A. Astruc : "Le langage et les choses", *Confluences*, février 1945.
g) G. Mounin : "Trois poètes et la dialectique", *Les Lettres françaises*, 24 novembre 1945. "Francis Ponge", *Critique* n° 37, juin 1949 ("L'anti-Pascal ou la poésie et les vacances").
h) C.-E. Magny : "Francis Ponge ou l'homme heureux", *Poésie 46*, juin-juillet 1946, p. 62-68. "Francis Ponge ou la transcendance involontaire", *Gazette des Lettres*, 20 septembre 1947.
i) P. Jacottet : "L'Oeillet, la Guêpe, Le Mimosa", *Formes et couleurs*, Lausanne, 1946. "Approche de Ponge", *Cahiers pour l'art*, 1948. "Du nouveau sur *La Seine*", *Nouvelle Revue de Lausanne*, 12 octobre 1950. *"La Rage de l'expression"*, ibid, 25 juin 1952. *"Le Soleil* se levant sur la littérature", *Gazette de Lausanne*, 19-20 mars 1955. Trois

articles après 1956 : "L'œuvre de F. P. ", *Nouvelle Revue de Lausanne*, 10 mars 1962 ; *"Le Grand Recueil"* de F. P. ", *Gazette de Lausanne*, 10-11 mars 1962 ; "Pour une nouvelle raison", *Gazette de Lausanne*, 27-28 février 1965.
j) G. Garampon : "Position de Francis Ponge", *Combat*, 23 juin 1949, "Francis Ponge ou la résolution humaine, *L'Araignée* de Francis Ponge", Paris, Aubier, 1952.
k) Betty Miller : "Francis Ponge and The Creative Method", *Horizon* XVI (92) 1947.
l) R. Nimier : "Francis Ponge", *Liberté de l'esprit*, mars 1949, repris dans *Journées de lecture*, Gallimard, 1965. "Francis Ponge", ibid, janvier 1953. "Francis Ponge : une œuvre magique et mystérieuse", *Bulletin de la N.R.F.*, janvier 1962.
m) F. Hellens : "La poésie libérée", *La Dernière Heure*, Bruxelles, 11 mai 1949. "La Nouveauté de Francis Ponge", *La Revue de culture européenne*, n° 8, 1953, repris dans *Style et caractère*, Ed. de la Renaissance du livre, Bruxelles, 1956, p. 137-143. "Méthode et intuition", *Le Soir*, 1er avril 1965.
n) G. Picon : "F.P." in *Panorama de la littérature française*, Gallimard, 1949, p. 194-199.
o) M. Lecomte : "Le drame du langage, Francis Ponge", *Le Journal des poètes*, octobre 1949. "Sur *L'Homme à grands traits*", *Synthèses*, 1951. "F.P. ou la réintégration de l'homme à soi-même par les choses", *Le Journal des poètes*, mars 1953.
p) P. Bigongiari : "Il partito preso di Ponge", *Paragone* 2, Firenze, 1950, repris dans "L'Hommage à F. P. ", 1956. "Un autre Ponge", *Tel Quel* 8, hiver 1962.
q) André du Bouchet : "Le Dénouement du silence" (à propos du *Verre d'eau*), *Critique*, février 1951.
r) E. Noulet : "F.P. ou *La Rage de l'expression*", *Combat*, 11 décembre 1952. *"La Rage de l'expression"*, *Synthèses*, mars 1953. "L'œuvre poétique de Francis Ponge", '*Revue de l'Université de Bruxelles*, janvier 1954.

s) M. Carrouges : "La Rage de l'expression, l'Araignée", *Monde nouveau-Paru*, n° 66, 1953, p. 99-102.
t) J. Onimus : "Art cruel", *Etudes*, juin 1953.

De 1956 à 1974

a) "Hommage à Ponge" par la *N.R.F.*, septembre 1956, comprenant : A. Camus : "Lettre au sujet du *Parti pris*", 1943 ; J. Carner : "Francis Ponge et les choses" ; J. Grenier : "Présentation de Francis Ponge" ; P. Jaccottet : "Remarques sur *Le Soleil*" ; A.P. de Mandiargues : "Le Feu et la Pierre" ; B. Miller : "Personne à l'horizon" ; G. Zeltner-Neukomm : "Un poète de natures mortes" et G. Braque : "Hommage à Francis Ponge" ; P. Bigongiari : "Le Parti pris des choses" (voir ci-dessus p. 309).
b) R. de Solier : "*Douze petits écrits* ou l'émulsion du langage", Bruxelles, *Synthèses*, 1956.
c) M. Lecomte : "Réalités secrètes", *Synthèses*, juillet 1957. "Poètes de la N.R.F.", *Le Journal des poètes*, mai 1959.
d) Margaret Blossom Douthat : "Le Parti pris des choses", Yale French Studies, 1958.
e) P. Sollers : "Francis Ponge ou la Raison à plus haut prix", *Mercure de France*, juillet 1960.
f) R. Bréchon : "Panorama de la poésie contemporaine", *Tendances*, juin 1962, p. 25-26.
g) G. Audisio : "La fidélité à soi-même", inédit cité dans le *Francis Ponge* de P. Sollers, p. 112-113 et dans le *Ponge* de Thibaudeau, p. 16.
h) A. Bosquet : "Francis Ponge, poète de l'objet", *Le Monde*, 20 janvier 1962.
i) J.-P. Richard : "Les partis pris de Ponge", *Nouvelle Revue française*, avril 1964 (repris dans *Poésie et Profondeur*, Paris, Seuil, 1965. *Onze études sur la poésie moderne*, Paris, Seuil, 1964, p. 161-181.
j) J.L. Houdebine : "Lire Francis Ponge", *Action poétique*, n° 28-29 et 31, 1965.

k) D.G. Plank : "*Le Grand Recueil*", F.P. 's optimistic materialism", *Modern Language Quaterly*, 26, 1965, p. 302-317.
l) J. Thidaubeau : "Les Poésies de Ponge", *Critique*, août-septembre 1965.
m) P. Bigongiari : "Enfin Malherbe vint", *Paragone*, Firenze, 1965. "Introduction à Francis Ponge" in *F.P. Vital del testo*, Vicenza, 1971.
n) E. Walther : *Francis Ponge, Eine ästhetische Analyse* (thèse), éd. Kiepenheuer und Witsch, Köln-Berlin, 1965. "Caractéristiques sémantiques de l'œuvre de Ponge", *Tel Quel*, n° 31, automne 1967.
o) D. Hollier : "L'Opinion changée quant à Ponge", *Tel Quel*, n° 28, hiver 1966, p. 90-93.
p) R. Mauzi : "Le monde et les choses dans la poésie française contemporaine depuis le surréalisme", *Bulletin de la société des professeurs de français en Amérique*, New York, 1967, p. 23-42.
q) J. Guglielmi : "De la résistance (à la) critique", *Critique*, n° 254, 1968.
s) G. Lawall : "Ponge and the poetry of self knowledge", *Contemporary Litterature* 11, 1970, p. 192-216.
t) J. Bersani : "Francis Ponge" in *La Littérature en France depuis 1945*, Paris, Bordas, 1970, en collaboration avec M. Autrand, J. Lecarme, B. Vercier, p. 416-428.
u) P. Sollers : "La poésie oui ou non", *Logiques*, Seuil, 1968, Paris. "Ponge caché" in "Ponge aujourd'hui" (études en ouvrage collectif), *TXT*, n° 3-4, 1971.
v) J.L. Steinmetz : "La fable différentielle" ibidem.
w) C. Prigent : "La scène dans La Seine", ibidem.
x) G. Farasse : "La portée de *L'Abricot* (métonymie et oxymoron)" in *Communications* 19, 1972, p. 186-194.
y) "Y a-t-il des mots pour Francis Ponge" (études), *Revue des Sciences humaines*, fasc. 151, 1973, comprenant :
— P. Bonnefis : "Faisons carrément l'éloge de *L'Araignée*".
— G. Farasse : "Héliographie".
— J.L. Lesnichez : "Origines inscrites".

De 1974 à 1983

a) *Books abroad an international quaterly*, automne 1974, Oklahoma, comprenant :

— "L'Ane" et "La Pluie".

— M. Riffaterre : "Francis Ponge's poetics of Humor", p. 703-707. Le même auteur a publié : "The poetic functions of intertextual humor" in *Romanic Review* LXV 1974, p. 278-293.

b) H. Maldiney : *Le Legs des choses dans l'œuvre de Francis Ponge*, Lausanne, L'Age d'homme, 1974, 112 p.

c) B. Wanner Knabenhans : "Le rapport de l'homme avec les choses chez Ponge" in *Neophilologus*, 1974, p. 372-390.

d) G. Genette : "Le parti pris des mots", *Romanic Review*, LXVI, 1975, p. 283-287. *Mimologiques*, Paris, Seuil, 1976, p. 377 sqq.

e) "F. Ponge ou le parti pris du langage" (propos recueillis), *Nouvelles littéraires* 2565, 30 décembre 1976, p. 7.

f) C. Giordan : "Ponge et la nomination", *Poétique* VII, 1976, p. 484-495.

g) Le N° 8 de la revue *Digraphe* (mai 1976) comprend différentes études :

— J. Derrida : "Signéponge", p. 17 à 39 (un autre fragment se trouve dans le *Colloque de Cerisy*) ;

— F. Berthet, J.F. Chevrier, J. Thibaudeau : "Ponge, pratiques artistiques", p. 41 à 75.

h) *Les Cahiers critiques de la littérature* n°2, de décembre 1976, comprennent : "Entretien avec Francis Ponge", p. 4-32 ; "Intervention à Cerisy", p. 76-82 ; des photos des manuscrits de "L'opinion changée quant aux fleurs".

i) Ewwald Dicter : Die moderne franzosische Fabel Struktur und Geschichte, Schaüble Verlag 1977, 296 p., Thèse Münster/Westfalen.

j) Le *Colloque de Cerisy* (Paris, Union générale d'éditions, 1977, coll. 10/18) rassemble les différentes communications du colloque fait à Cerisy-la-Salle du 2 au 12 août 1975, sur le thème : "Ponge inventeur et classique", sous la direction de Ph. Bonnefis et P. Oster (434 p.). Il comprend :

— P. Bonnefis : "Le phénomène Ponge", p. 11-15 ;
— J. Tortel : "Ponge qui n'a de cesse", p. 16-33 ; disc., p. 34-43 ;
— J. Guglielmi : "Ponge et la lumière critique" de "La Preuve par Ponge", p. 44-55 ; disc. p. 55-65 ;
— M. Riffaterre : "Ponge tautologique ou le fonctionnement du texte", p. 66-84 ; disc. p. 85-90. Cet article a été repris dans *La Production du texte*, Paris, Seuil, "Poétique", 1979 ;
— J.M. Adam : "Une poétique générative et transformationnelle : *Le lézard*", p. 91-114 ;
— J. Derrida : "Signéponge" (fragment), p. 115-145 ; disc. 145-152 ;
— M. Spada : "Sur les tablettes d'Eros et d'Antéros, Ponge et Bataille", p. 153-169 ; disc. p. 170-179 ;
— J. Raymond : "Ponge et le plaisir", p. 180-190, disc. p. 191-198 ;
— G. Farasse : "Quelques phrases mises de côté pour Francis Ponge", p. 199-219 ;
— S. Allen : "Le mot "certes"... écrit Ponge", p. 221-256 ;
— H. Maldiney : "La poésie et la langue", p. 257-297 ; disc. p. 298-304 ;
— S. Gavronsky : "Nietzsche ou l'arrière-texte pongien", p. 305-330 ;
— J.L. Steinmetz : "L'infinitif et la troisième personne du singulier (Essai de mise en scène de l'objet)", p. 331-344 ; disc. p. 345-351 ;
— C. Pringent : "Le texte et la mort", p. 352-371 ; disc. p. 372-379 ;
— F. Berthet, J.F. Chevrier, J. Thibaudeau : "Notes collectives pour Ponge", p. 380-407 ;
— Questions à Ponge, p. 408-432.
k) S. Gavronsky : *"Francis Ponge : "The Sun placed in the abys" and other texts" with an essay, interview with Ponge, and translations by G. Gavronsky*, Sun, New York, 1977.

l) J. Raymond : "De la *Fabrique du pré*" dans *Pratique de la littérature*, Roman-poésie, Paris, Seuil, 1978, 299 p. (Ponge p. 179-181).
m) R. Stamelman : "The object in poetry and painting : Ponge and Picasso" in *Contemporary Literature*, XIX, 1978, p. 409-428.
n) C. Prigent : "La besogne des mots chez Francis Ponge", *Littérature*, n° 29, Larousse, 1978.
o) I. Higgins : "Proverbial Ponge" in *Modern Language Review'*, LXXIV, avril 1979, p. 310-320. "Language politics and things. The weakness of Ponge's satire" in *Neophilologus* LXIII, 1979, p. 347-362.
p) J.-P. Richard : "Fabrique de la figue", *Critique*, n°397-398, juin-juillet 1980, p. 551-570.
q) La revue *Etudes françaises* (Montréal) a consacré un numéro à Francis Ponge : n° 17/1-2, avril 1981. Outre la bibliographie déjà signalée, on trouve :
— B. Beugnot : "La table en chantier", p. 3 ;
— "La Table", inédit de F. Ponge (voir ci-dessus) ;
— W. Krysinski : "Ponge et les idiolectes dela poésie moderne", p. 51 ;
— M. Riffaterre : "Ponge intertextuel", p. 73 ;
— A. Lazaridès : "L'Eros qui fait écrire", p. 87 ;
— P. Léonard : "Ponge penseur ?", p. 99 ;
— A. Kibédi Varga : "Lire *le Soleil*", p. 111 ;
— P. Verdier : *"L'Atelier contemporain"*, p. 121 ;
— M. Robillard : "*Pour un Malherbe* ou l'autobiographie nouée", p. 129.
Ajoutons deux thèses récentes à Paris III : C. Prigent : *La poétique de Ponge*, 1983 ; G. Farasse : *Paraphrase pour F. Ponge*, 1984.

3. Ouvrages de référence

Plusieurs auteurs, notamment du XXe siècle, peuvent, par leurs œuvres, être comparés à Francis Ponge :

— S. Mallarmé : *Œuvres complètes*, Paris, Gallimard, Pléiade, 1945.

— Les surréalistes, A. Breton principalement. Pour cette étude, nous avons eu recours aux *Manifestes du surréalisme* (Paris, Gallimard, coll. “Idées”, 1963) et à *L'Amour fou* (Paris, Gallimard, 1937) ; René Char : *Le Marteau sans maître suivi de Moulin premier*, Paris, Corti, 1970. D'autre part, on doit consulter :

P. Alquié : *Philosophie du surréalisme*, Paris, Flammarion, 1955 ;

M. Carrouges : *André Breton et les données fondamentales du surréalisme* (Paris, Gallimard, coll. “Idées”, 1950) ;

M. Nadeau : *Histoire du surréalisme*, Paris, Seuil, 1945, “Pierres vives”, et réédité dans la collection “Points”.

G. Durozoi et B. Lecherbonnier : *Le surréalisme*, Paris, Larousse, 1972, coll. “Thèmes et Textes” ;

— Les phénoménologues, Husserl en particulier. On peut consulter : D. Christoff : *Husserl*, Paris, Seghers, 1966. J.-F. Lyotard : *La phénoménologie*, Paris, P.U.F., 1969, coll. “Que sais-je ?”, 128 p.

— Les romanciers :

M. Proust : *A la recherche du temps perdu*, Paris, Gallimard, Pléiade, 1954 ; *Contre Sainte-Beuve*, Paris, Gallimard, Pléiade, 1971 ;

Robbe-Grillet : *Pour un Nouveau Roman*, Paris, Ed. de Minuit, 1963, repris chez Gallimard, coll. “Idées”, Paris, 1969 ;

Paul Claudel, notamment : *Art poétique - Connaissance du temps - Traité de la co-naissance du monde et de soi-même - Connaissance de l'Est* in *Œuvre poétique*, Paris, Gallimard, Pléiade, 1967.

Les auteurs d'ouvrages sur la stylistique et la poétique, notamment :

R. Barthes : *Degré zéro de l'écriture*, Paris, Seuil, 1953 ; *Plaisir du texte*, Paris, Seuil, 1973.

G. Genette : *Mimologiques*, Paris, Seuil, 1976.

R. Mounin : *Introduction à la communication poétique. Avez-vous lu Char*, Paris, Gallimard, 1969.

H. Meschonnic : *Pour une Poétique* (3 vol.), Paris, Gallimard, coll. Essais, 1971-1973.
D. Delas et J. Filiolet : *Linguistique et poétique*, Paris, Larousse, 1973.
— Les auteurs d'ouvrages sur la logique et l'humour :
G. Deleuze : *Logique du sens*, Paris, Ed. Minuit, 1969 ;
V. Jankélévitch : *L'Ironie*, Paris, Flammarion, coll. "Champs", 1964.
R. Escarpit : *L'Humour*, Paris, P.U.F., coll. "Que sais-je ?", 1960.
— Des ouvrages sur la technique poétique :
M. Parent : *La langue du poème en prose, essai de définition.*
J. Mazaleyrat : "Le verset claudélien dans les Cinq Grandes Odes" in *L'information grammaticale*, n°2, 1979.

Composition, montage
photogravure
TexTel, 69005 Lyon

Achevé d'imprimer
sur les presses de
Brodard et Taupin
à La Flèche
en février 1986

Dépôt légal :
1er trimestre 1986